D1444463

LA CUISINE
ANTI-DÉPRIME

SYLVAIN LEBEL

LA CUISINE
ANTI-DÉPRIME

ENCRE

Illustrations : Patrice VAIDIE

A Lolo qui aime les gâteaux.

Je remercie Jean-Jacques Jouteux, chef du restaurant « Les Semailles », 34, rue du Colisée à Paris 8ᵉ, qui m'a fait l'amitié de saupoudrer ce livre de recettes éblouissantes.

Son génie culinaire et son humour épicé m'ont été précieux pour confectionner cet ouvrage en forme de pièce montée où les plats sont les acteurs principaux de l'éternelle comédie humaine.

Sylvain Lebel

*** Les recettes « étoilées » que vous découvrirez au cours de cet ouvrage sont de Jean-Jacques Jouteux.

Sommaire

PRÉFACE

Vous vous êtes sûrement déjà dit, dans telle ou telle circonstance extraordinaire ou douloureuse « Ce n'est pas la peine d'en faire un plat!!! » Eh bien! si justement. Vous, Monsieur, vous êtes un vieil égoïste et vous voulez vous éclater tout seul?... Vous êtes un imbécile et vous voulez le cacher?... Vous souffrez du complexe de Poulidor et refusez de faire un régime sans selle?... Vous, Madame, vous attendez un « heureux événement » et vous avez des envies bizarres?... Vous avez une mère abusive ou une amie éternellement déprimée?...

Pas de panique! Sylvain Lebel, sans avoir la prétention de vous donner la recette du bonheur, vous propose celle d'une bonne heure... ou deux, un repas dont la fantaisie sera le maître queux et la bonne humeur la table d'hôte... Les grands chefs, les Toscanini de la béchamel, les Paganini du mixer, les Rossini du tournedos, vous ont enseigné l'amour de la cuisine?... L'auteur de ce livre préconise la cuisine de l'humour.

Mais attention! C'est un humour éminemment comestible et ce n'est pas par hasard que « votre serviteur » (au sens étymologique du terme) a choisi pour complice Jean-Jacques Jouteux, qui est selon les spécialistes les plus avisés, le poète culinaire le plus doué de sa génération. Avec lui, les « Semailles » ne peuvent être que promesses de moissons superbes.

11

En outre, ce livre présente l'avantage d'apporter enfin une solution simple et bon marché – Monsieur le ministre des Affaires sociales – au déficit de votre sécurité... Finis la déprime, le stress, le spleen baudelairien, le " fiu " tahitien, le ras-le-bol soixante-huitard!... On vous prend pour une cloche et vous avez le bourdon... Abandonnez allégrement pilules, gélules, cachets, tilleuls, horoscopes et tarots. Au dessert votre pharmacien devra ouvrir une pâtisserie...

Notre beau pays de France est aussi, trop souvent, celui des étiquettes. Et pourtant cet ouvrage bien français y échappe. Il ne participe pas de la querelle entre la nouvelle cuisine et l'ancienne, il ne se veut ni régional, ni exotique. Le « fast food » américain lui est aussi étranger qu'un œuf à la coque à une cocotte minute. Il n'a d'autre ambition que de vous mettre l'eau à la bouche et le sourire aux lèvres.

Claude Lemesle
6 février 1984.

I

UNE PERSONNE

Solitaires, volontaires ou non, de tous âges, de tous sexes et de toutes conditions refusez qu'on vous considère comme des êtres gastronomiquement marginaux, des humanoïdes grignotants, condamnés à la saucisse-frites.

Voici enfin pour vous des recettes qui empliront votre solitude du chant des fourneaux!

VOTRE PETIT AMI
VOUS A LARGUÉE LÂCHEMENT

Vous roucouliez des jours heureux avec Fernand et tout à coup, crac! Sans le moindre signe avant-coureur, il vous a plantée là avec vos velléités d'avenir douillet.

Vous voilà avec votre carnet d'adresses dans la main, aussi dérisoire qu'une Bible dans la poche de Landru.

Avant de loucher vers une boîte de Valium 10 ou d'appeler le SAMU, essayez donc le **CHOCOLAT**! Des médecins futés vous diront que si le chocolat « fait compenser », c'est parce qu'il contient de la caféine et de la théobromine dont les propriétés sont de supprimer la sensation de fatigue, de rendre les idées plus claires et d'être des stimulants cardiaques. Mais cela n'explique pas tout.

Le chocolat est un aliment mythique à ranger au même rayon que la pomme défendue.

Il est, en même temps, la récompense des enfants sages, le péché mignon de vieilles dames, pas forcément indignes, l'incartade des anorexiques et le dérivatif des angoissés qui n'osent plus sucer leur pouce. Il est dévoré subrepticement par des boulimiques honteux, croqué scientifiquement par des sportifs en panne d'énergie et montré du doigt par d'austères diététiciens qui voient en lui une nourriture du diable que Fernand Cortés n'aurait jamais dû ramener de chez ces barbares d'Aztèques.

Qui n'a jamais eu envie de se ruer sur une tablette quand la vie paraît vide et sans issue? Halte! Au lieu de troquer votre déprime contre des boutons, utilisez le chocolat avec raffinement : on n'est pas des bêtes!

15

Steak de biche au chocolat***

200 g de filet de biche, 2 verres de bordeaux, un carré de chocolat bitter (le plus amer possible), 1/2 citron, 1/2 cube de bouillon de volaille, 1/4 de litre d'eau.

• Dans une petite casserole, mettez le vin à chauffer à feu doux jusqu'à obtention d'un liquide sirupeux (5 minutes).
• Ajoutez-y le demi-citron pressé, le carré de chocolat, le demi-cube de bouillon. Mélangez et ajoutez 1/4 de litre d'eau. Laissez cuire à feu doux environ 5 minutes.
• Dans une poêle, faites cuire le steak de biche (7 à 8 minutes). Nappez de la sauce au chocolat et servez avec des coquillettes au beurre.

Mousse au chocolat blanc

50 g de chocolat blanc, 2 œufs, 1 petite pincée de sucre en poudre, 1 filet de Grand Marnier.

• Dans une casserole contenant une cuillère d'eau, faites fondre le chocolat.
• Dans un saladier cassez les jaunes d'œufs et battez-les un peu.
• Versez le chocolat dessus et battez à nouveau.
• Montez les blancs en neige avec une pincée de sucre.
• Ajoutez le filet de Grand Marnier, mélangez le tout, et hop, frigo pendant 2 heures! Par dérision, vous pouvez parsemer de pistaches.

Petite semoule chocolatée

• Dans une casserole, versez 1/4 de litre de lait, 50 g de chocolat, 2 cuillères à soupe de semoule de blé, une pincée de sucre. Faites bouillir le tout et laissez à ébullition environ 2 minutes.
• Versez dans un moule ou un ramequin.

Crème au chocolat

1/4 de litre de lait, 50 g de chocolat, 50 g de sucre, 2 œufs.

• Faites bouillir le lait avec le chocolat et le sucre.
• A part, cassez 2 œufs entiers et battez-les, les vilains.
• Versez le lait chocolaté bouilli sur les œufs.
• Mettez la crème dans un ramequin et faites cuire au bain-marie dans le four (thermostat 7) 10 minutes.

Fondant au chocolat

40 g de chocolat, 20 g de sucre, 25 g de beurre, 20 g de poudre d'amandes, 1 œuf, 1 filet de rhum, 1 pincée de café soluble.

• Dans une casserole contenant un peu d'eau, faites fondre le chocolat.
• Quand il est fondu, ajoutez hors du feu le beurre, mélangez bien jusqu'à obtenir une pâte lisse.
• Ajoutez ensuite le jaune d'œuf, la poudre d'amandes, la pincée de café soluble et le filet de rhum.
• Battez le blanc en neige et incorporez-le au reste.
• Mettez à feu doux (thermostat 3) 15 minutes.
Vous pouvez napper de crème anglaise.

S.O.S. HOMME EN DÉTRESSE

Votre femme était partie en week-end à Méribel, mais finalement elle est restée avec le moniteur de ski.

Vous avez téléphoné à une " ex " pour lui raconter votre infortune, oubliant bien sûr de mentionner que c'est vous qui aviez envoyé votre moitié aux sports d'hiver afin de couler des nuits câlines avec une Américaine de passage.

Vous allez camper chez un copain qui ne vous voit que dans ces moments-là, vous hurlez à qui veut l'entendre que toutes les femmes sont comme la vôtre et vous êtes tenté de vider une bouteille de whisky cul-sec.

UN PEU DE VIRILITÉ QUE DIABLE!

Je sais qu'il est difficile d'endiguer le flot d'images violentes qui vous envahit, d'avoir la voix posée et le verbe sobre, bref le chagrin élégant. Mais que voulez-vous, il y a des circonstances dans la vie où l'homme est obligé d'être un héros.

Sans aller jusqu'à vous faire un bronzage western à coups d'U.V. pour masquer votre état lamentable, ni vous momifier dans un orgueil racinien passé de mode, vous pouvez toujours vous projeter un vieux John Wayne en vidéo pour voir comment lui aurait réagi dans ce cas là.

Il y a des boîtes dans le placard? Bon, très bien, tant qu'il y a des conserves il y a de l'espoir!

AVEC UNE BOÎTE DE LENTILLES :

Salade jalousie

1 petite boîte de lentilles, 1 tranche de lard fumé, un petit morceau de cervelas, vinaigrette.

- Lavez et égouttez les lentilles.
- Coupez le cervelas en petits carrés.
- Coupez le lard en carrés et faites-les cuire dans une poêle non huilée, non beurrée, 5 minutes de tous les côtés en remuant avec une spatule en bois.
- Mélangez le lard et le cervelas avec les lentilles dans un saladier. Nappez de vinaigrette (2 cuillères à soupe d'huile, 1 cuillère à café de vinaigre, 1 pincée de sel et de poivre mélangés dans un bol).

AVEC UNE BOÎTE DE SARDINES :

Toasts surprise

1 petite boîte de sardines, 1 bonne cuillère à soupe de crème fraîche bien assaisonnée (sel, poivre).

- Faites griller 2 ou 3 toasts et tartinez-les avec le mélange de sardines et de crème fraîche.
- Mettez à four chaud 5 minutes.

AVEC UNE BOÎTE DE THON :

Thon tartare

Émiettez le thon en boîte dans une assiette. Ajoutez-y un petit oignon haché, un jaune d'œuf, un peu de ketchup et de tabasco, un jus de citron et quelques câpres. Salez et poivrez selon votre goût.

AVEC UNE BOÎTE DE MAÏS :

Beignets de maïs

1 boîte de maïs en grains, un grand verre de farine, 2 œufs, 1 cuillère à café de sel, 1 pincée de paprika.

• Hachez le maïs. Séchez-le dans un torchon propre.
• Dans un récipient, versez la farine, le sel et le paprika.
• Cassez les œufs. Incorporez les jaunes au mélange précédent.
• Battez les blancs en neige.
• Mélangez la purée de maïs et les œufs battus en neige.
• Faites des petits tas que vous mettrez à cuire dans une poêle huilée très chaude.

AVEC UNE BOÎTE D'ASPERGES :

Flan aux asperges

1 petite boîte d'asperges, 2 œufs, 1 demi-boîte de lait Gloria, 1 noix de beurre, un peu de gruyère râpé, sel, poivre, 1 pincée de muscade.

• Faites chauffer votre boîte d'asperges dans une casserole d'eau à feu doux.
• Dans un récipient, battez les œufs comme pour une omelette. Ajoutez le lait, le gruyère râpé, la muscade. Salez. Poivrez.
• Égouttez vos asperges tièdes et coupez-les en petits morceaux. Incorporez-les aux œufs.
• Mettez ce mélange dans un plat allant au four et faites cuire à feu doux (thermostat 5 ou 6) au bain-marie, 35 minutes.

Toasts Hawaï

2 tranches de pain de mie, 1 petite boîte d'ananas, 1 tranche de jambon, 100 g de chester ou de gouda, 1 pincée de paprika, sel.

- Faites griller le pain de mie.
- Faites griller votre tranche de jambon.
- Mettez sur chaque toast une demi-tranche de jambon, une rondelle d'ananas coupée en quartiers, humectez avec un peu de jus d'ananas et recouvrez d'une tranche de fromage. Saupoudrez de paprika.
- Mettez sous le gril du four jusqu'à ce que le fromage soit fondu.
- Décorez avec deux ou trois quartiers d'ananas, une cerise confite et du persil au moment de servir.

AVEC UNE BOÎTE DE FRUITS :

Omelette aux fruits

- Battez 2 œufs entiers. Ajoutez une pincée de sucre et un filet de rhum.
- Versez ce mélange dans une poêle beurrée, à feu assez vif.
- Quand les œufs prennent, parsemez-les des fruits en boîte égouttés.
- Baissez le feu, recouvrez votre poêle d'un couvercle, 2 minutes.
- Servez vous. Souriez!

VOUS AVEZ LA GUEULE DE BOIS

En France, pays tempéré mais de tempérament, tout s'arrose : la naissance d'un veau à cinq pattes, la guérison miraculeuse d'un cirrhosé chronique à Lourdes, les déclarations de guerre et les rêves d'armistice, la plus infime promotion sociale, le plus obscur départ à la retraite, le moindre centime gagné au Loto.

Tout ce qui peut donner un instant l'illusion que le cours monotone du temps est changé, se fête joyeusement au bistrot du coin avec force « rincettes ».

La France, instinctivement, lève le coude, là où d'autres pays à l'exotisme primaire verraient prétexte à la musique et à la danse. Elle entonne la litanie des « et glou et glou et glou », chanson de geste éternelle dont le rituel échappe, paraît-il, aux prêtres vaudou.

Malheureusement les lendemains de fêtes sont toujours au rendez-vous. Des cloches de Pâques dans la tête, vous vous réveillez dans un monde sens dessus-dessous où les tables ont des pieds, les chiens des colliers, les agents des sifflets et le gruyère des trous.

Dans un premier temps, préparez-vous donc une infusion anti-gueule de bois :

- *Migraine :* romarin ou verveine.
- *Maux d'estomac :* sariette ou basilic.
- *Pour vous réveiller un peu :* thym ou chèvrefeuille.
- *Calmant léger :* tilleul ou menthe.

Salade casque à pointes

1 petite laitue, 1 petite boîte de pointes d'asperges, 1 petite boîte de cœurs d'artichauts, 1/2 fenouil.

- Dans une casserole, faites chauffer les asperges et les cœurs d'artichauts au bain-marie.
- Lavez et épluchez la laitue et le fenouil.
- Coupez ce dernier en lamelles et mélangez-le dans un saladier avec la laitue découpée.
- Quand les cœurs d'artichauts et les pointes d'asperges sont tièdes, posez-les avec art sur la laitue et le fenouil mélangés.
- Nappez d'une vinaigrette douce (huile de tournesol + vinaigre de cidre).
- Parsemez de basilic.

Cette salade est : diurétique, évacuatrice de la bile, anti-aphrodisiaque et adoucissante pour les maux d'estomac. Rien que ça! N'hésitez pas à vous servir une bière, c'est excellent pour ce que vous avez.

Dans les heures qui suivent la cuite, il y a une baisse de sucre sanguin qui provoque des vertiges. Je vous conseille donc une :

Pomme au miel

Videz une pomme, piquez-la avec une fourchette, remplissez-la de 2 cuillères à café de miel et d'une noix de beurre, mettez-la sur une feuille d'aluminium dans le four (thermostat 7) pendant 10 minutes.

23

VOUS ÊTES DU GENRE CIGALE
... ET LA BISE EST VENUE

Insensible aux discours pathétiques de certains hommes politiques conjurant les citoyens d'acquérir des attitudes anti-inflationnistes, vous avez la mauvaise habitude de faire vos emplettes sans souci des étiquettes. Vous remplissez votre caddy les yeux fermés, sans vous préoccuper du cours du café, de la saison des asperges ou du label rouge des pots de caviar. Vous vivez dans un monde où le serpent monétaire et les sécheresses agricoles n'existent pas. Sympa.

Hélas, septembre est venu et la bise a déposé dans votre boîte à lettres quelques factures : tiers provisionnel et autres joyeuses notes de gaz et d'électricité. Bref, vous êtes sur la paille.

Ça arrive à tout le monde, allez! Vous pouvez toujours continuer à tomber dans la facilité :
– Emprunter à un ami de quoi dîner dans un restaurant italien jusqu'à la fin du mois;
– faire une ardoise chez l'épicier ou des chèques en bois;
– vous faire imprimer une fausse carte de presse et courir les cocktails mondains;
– vous déguiser en O.S. et manger à la cantine de chez Renault.

Toutes ces solutions sont possibles mais aléatoires.
Comme vous n'êtes pas non plus du genre à couver une crise mystique qui pourrait vous conduire à une soif de frugalité providentielle, je crois qu'il va falloir changer un moment votre guitare d'épaule en attendant des jours meilleurs...

Panade

- Dans une casserole mettez 1/2 litre d'eau froide salée et poivrée et quelques croûtons de pain rassis.
- Après ébullition, broyez le pain et ajoutez 1/4 de litre de lait bouillant.
- Battez un œuf entier dans un bol et versez-le hors du feu dans le mélange précédent. Ajoutez une noix de beurre et décorez de cerfeuil.

Salade cosette

100 g de foies de volailles, 1 petite frisée, 1 œuf, 3 croûtons de pain beurrés, sel, poivre.

- Épluchez et lavez la frisée. Égouttez-la.
Dans une petite casserole d'eau bouillante faites durcir un œuf (7 minutes).
- Dans une poêle, faites sauter les foies de volailles coupés en dés (5 minutes). Salez, poivrez.
- Disposez les foies sur la salade. Hachez l'œuf et parsemez-en la salade, nappez de vinaigrette.

Crépinettes Cendrillon

250 g de chair à saucisse, persil, cognac, 1 jaune d'œuf, pâte brisée toute prête.
- Faites une farce avec la chair à saucisse, le persil haché et un fond de cognac. Séparez-la en trois petits tas en forme de saucisses.

• Étalez la pâte brisée sur une table farinée. Enveloppez chaque tas de farce dans un morceau de pâte brisée.

• Badigeonnez la pâte avec un jaune d'œuf battu et mettez à four chaud (thermostat 7) pendant 20 minutes.

Pizza dèche

250 g de pâte à pain, 1 petit morceau de saucisson, 1 tranche de jambon, 2 tranches de chester, 1 petite boîte de tomates pelées, huile, sel, poivre.

• Achetez la pâte à pain non cuite chez votre boulanger et faites-en une boule. Versez dessus une cuillère à soupe d'huile et pétrissez légèrement, juste pour l'incorporer.

• Sur une table farinée, étalez la pâte et mettez-la ensuite dans un moule à tarte huilé.

• Disposez sur cette pâte le saucisson coupé en dés (moins la peau) le jambon coupé en carrés, et les tomates pelées égouttées. Arrosez avec un filet d'huile, salez, poivrez.

• Mettez votre pizza à four chaud (thermostat 8) environ 10 minutes.

• Retirez-la du four et ajoutez le chester.

• Remettez la pizza au four, environ 7 minutes, à feu moyen (thermostat 6).

Gratin Crésus

2 courgettes, 4 carottes, 150 g de viande hachée ou de restes de viande, 1 oignon, 1 cuillère à soupe de crème fraîche, estragon, sel, poivre, gruyère râpé, 2 noix de beurre.

• Épluchez carottes, courgettes et oignon. Hachez ce dernier.

• Dans une poêle beurrée, faites sauter les carottes coupées en rondelles, salez et poivrez; 2 minutes plus tard, faites sauter les courgettes saupoudrées d'estragon. Et, 2 minutes plus tard, faites sauter l'oignon haché.

• Quand tout ce petit monde a bien sauté, broyez au mixer et mettez à part.

• Faites cuire votre viande hachée dans la même poêle.

• Mélangez le tout avec une noix de beurre et une cuillère à soupe de crème fraîche (vérifiez l'assaisonnement).

• Mettez votre hachis dans un plat allant au four, parsemez-le de gruyère râpé. Ajoutez une noix de beurre en surface et mettez sous le grill 5 minutes.

Ce plat, en principe, devrait vous faire 2 jours.

Hampe à l'échalote

Puisque vous n'avez pas les moyens d'acheter de la bavette, la hampe est un morceau ne payant pas de mine mais tendre à souhait.

2 ou 3 échalotes, 1 verre de vin rouge, 1/2 plaquette de bouillon, 1 noix de beurre, sel, poivre.

• Dans une poêle, faites blondir les échalotes hachées.

• Ajoutez le vin et la 1/2 plaquette de bouillon, salez et poivrez. Laissez réduire à feu doux 2 minutes. Mettez à part.

• Augmentez le feu et faites griller la hampe.

• Retirez du feu et nappez votre viande avec la sauce à l'échalote.

Pain Delors

● Faites tremper des morceaux de pain rassis dans du lait vanillé auquel vous pouvez ajouter quelques gouttes de rhum.

● Quand ils sont mous, trempez-les dans un œuf entier battu.

● Faites-les dorer dans une poêle beurrée, à feu moyen, et recouvrez-les de sucre et de noix de coco en poudre.

VOUS NAGEZ DANS LE BONHEUR

Un romantique égaré vous a offert une rose à un feu rouge ce matin et du coup, votre biorythme crève le plafond.

Vous qui, hier encore, songiez à vous faire refaire les seins ou à vous engager dans la Croix-Rouge par philanthropie désabusée, vous voilà pleine de projets et bourrée de dynamisme. Vous rêvez déjà d'escapades sur les plages normandes. Vingt fois vous vous repassez le film au ralenti : vous et lui courant sous la pluie dans les couleurs de l'hiver.

LOVE STORY, UNE PREMIÈRE!

Ce soir vous n'avez pas du tout envie de rencontrer les blasés noctambules qui, quand ils ne dansent pas comme des manches à balai en se regardant dans les miroirs, attendent un verre de scotch à la main la fille des petits matins.

Ces instants où dans le cœur de tendres images défilent, où l'on se sent disponible pour découvrir Debussy, sont précieux dans la vie.

Un tête-à-tête raffiné avec la solitude vaut bien un rendez-vous.

Dites-vous bien que ce n'est pas forcément faire preuve d'un narcissisme absolu, ni souffrir de déviations relationnelles graves que d'avoir envie tout à coup de se parler à haute voix ou de siffler « Marinella ».

Pour vous qui rêvez de violons et qui attendez le violoniste, voici des menus en prélude...

Jardin secret

Ne le dites à personne, le « jardin secret » est un artichaut cuit ou cru, reconstitué dans l'assiette.

• Coupez le pied de l'artichaut, enlevez toutes ses feuilles, lavez-les une par une et séchez-les.
• Enlevez la paille du cœur et grattez-le.
• Posez le cœur au centre de votre assiette et reconstituez l'artichaut autour avec les feuilles (si vous ne vous êtes pas trompée cela doit ressembler à un nénuphar).
• Nappez le cœur et le bas des feuilles avec une sauce à la moutarde verte. C'est pas beau ça !

Pour un artichaut cuit, on procède de la même façon, on nettoie le cœur, on enlève les feuilles et on les fait cuire dans l'eau salée détachés.

Truite aux amandes

• Achetez une petite truite que vous faites vider par votre poissonnier.
• Lavez-la et séchez-la (non pas avec un séchoir mais avec une serviette propre).
• Trempez-la dans du lait et farinez-la.
• Dans une poêle, faites chauffer une noix de beurre et quelques gouttes d'huile à feu moyen et posez délicatement votre truite afin qu'elle dore sur les deux faces. Salez, poivrez.

• Quand vous voyez que votre truite va être prête (c'est-à-dire dorée), dans une petite casserole, faites chauffer à feu doux une grosse noix de beurre. Quand il est fondu sans être liquide, ajoutez une poignée d'amandes effilées; comptez jusqu'à 50.

• Mettez votre truite (sans l'huile et le beurre de cuisson) dans votre assiette.

• Versez le beurre aux amandes et décorez avec du citron.

Framboises au citron

Lavez les framboises doucement car ce sont de petits fruits fragiles. Ajoutez le jus d'un demi-citron pour corser le goût, sucrez.

Nid de Chine

Prenez un œuf et séparez le blanc du jaune. Battez le blanc en neige, ajoutez du gruyère râpé, salez. Mettez celui-ci en cercle sur une plaque allant au four et faites chauffer environ 3 minutes. Au bout de ce temps ajoutez doucement le jaune au milieu du cercle et remettez au four, 3 minutes.

Cool lamb★★★

2 côtes d'agneau, 1 cuillère à café de vinaigre de framboises, 1 cuillère à soupe de beurre, 200 g de salade de mesclun.

- Dans une poêle contenant un peu d'huile, faites cuire les côtes d'agneau 4 à 5 minutes.
- Quand elles sont cuites, mettez-les à part.
- Ajoutez dans la poêle le vinaigre de framboise et le beurre, laissez émulsionner.
- Recouvrez les côtes avec cette sauce et servez avec du mesclun dont la vinaigrette aura également été préparée avec du vinaigre de framboises.

Fruits en arpège★★★

- Ajoutez à 3 cuillères à soupe de compote de pommes, 1 verre de cidre, 1 cuillère à soupe de crème et 1 cuillère à café de sucre glace. Disposez ce coulis sur une assiette.

- Dans un petit récipient, mélangez 1 cuillère de confiture de myrtille avec 1 cuillère à café de calvados.
- Trempez une cuillère dans la confiture de myrtilles et dessinez 5 lignes dans la compote (on appelle ça une portée en langage musical).
- Dans une poêle, faites sauter une pomme épluchée et épépinée.
- Placez les morceaux en forme de notes sur la portée.
- Ajoutez 2 ou 3 pruneaux dénoyautés et cuits.

Vous avez les noires et les blanches, à vous de rêver la mélodie.

VOUS ÊTES ENCEINTE
ET VOUS AVEZ DES ENVIES BIZARRES

Les hommes, en général, prennent les envies de femmes enceintes pour des caprices de stars, des lubies énigmatiques frisant l'hystérie. Les plus machos y voient un symptôme de « femellisme aigu », preuve que la femme est un « animal mammifère » incapable de maîtriser ses instincts, et les plus attardés, un signe évident que des démons étranges s'emparent quelquefois de nos chères épouses; seule une rationnelle indifférence peut les exorciser.

Allez donc leur expliquer que pendant la période de grossesse, la femme a une salive plus acide et plus abondante et qu'il est donc parfaitement normal que son goût n'obéisse pas aux conventions.

Il n'y a que les pères anglais pour ne pas s'affoler de leurs subites envies nocturnes de cornichons trempés dans du lait Nestlé, de choux à la crème nappés de ketchup, voire, comble de l'hérésie, de fromage avec un verre de coca!

Pour vous qui rêvez d'excentricités gastronomiques, voici quelques suggestions surréalistes, mais néanmoins excellentes, même pour un individu en pleine possession de sa lucidité buccale.

Omelette à l'orange et au camembert

3 œufs, 1 grosse noix de beurre, 1/2 verre de lait, 1 part de camembert, 1 orange, sel, poivre.

- Mettez le grill du four en route.
- Séparez les blancs des jaunes et battez ces derniers avec le lait. Salez. Poivrez.
- Battez les blancs en neige et mélangez-les aux jaunes.
- Dans une casserole, faites fondre la noix de beurre et versez les œufs dessus. Faites cuire à feu doux 7 à 8 minutes.
- Ajoutez le camembert et l'orange coupée en quartiers.
- Mettez le tout dans un plat sous le grill 2 minutes.
- Repliez l'omelette et servez.

Dites à votre mari de ne pas faire cette tête-là!

Aiguillettes de canard aux mandarines

2 aiguillettes, 5 mandarines, 1 pincée de fécule, ciboulette hachée, sel, poivre.

- Pressez 4 mandarines en jus. Portez ce jus à ébullition et jetez-y la pincée de fécule en fouettant très fort. Salez. Poivrez.
- Épluchez la mandarine qui reste, séparez les quartiers et ajoutez-les au jus. Liez.
- Dans une poêle, faites cuire les aiguillettes de canard (environ 8 minutes).
- Une fois cuites, coupez-les en tranches fines.
- Nappez du jus lié et des quartiers de mandarine. Parsemez de ciboulette hachée.

Steak à l'ananas

1 steak épais, un peu de persil haché, 1 tranche d'ananas frais ou en boîte, 1 noix de beurre, 1 filet de jus de citron, poivre, sel.

● Mélangez le beurre, le persil haché et le jus de citron. Mettez au réfrigérateur.
● Coupez le steak en deux en laissant une charnière (en portefeuille) et poivrez l'intérieur.
● Mettez la tranche d'ananas et le beurre persillé au milieu du steak et faites griller dans une poêle ou au four environ 5 minutes.
● Salez au moment de servir.

Gâteau de cornichons aux lamelles de porc

1 côte de porc, 1/2 bocal de cornichons coupés en rondelles, 1 petit pot de crème fraîche, 1 cuillère à soupe de moutarde, 2 pincées de riz, sel, poivre.

● Dans une petite casserole, faites cuire votre riz dans de l'eau bouillante salée.
● Pendant ce temps enlevez l'os de la côte de porc et coupez-la en lamelles.
● Faites cuire ces lamelles dans une poêle huilée et ajoutez en fin de cuisson les cornichons pour qu'ils soient chauds.
● Égouttez votre riz et disposez-le en boule au milieu de votre assiette.
● Incrustez sur la boule de riz les lamelles de porc et les cornichons.
● Nappez le tout avec un mélange de crème fraîche et de moutarde tiédes.

Gâteau au citron

60 g de beurre, 60 g de sucre, 60 g de farine, 1 œuf, 1 citron, le zeste d'un autre citron, 1 cuillère à soupe et demie de sucre glace, 1/2 paquet de levure.

● Dans un récipient, mélangez le beurre ramolli, le sucre et le zeste d'un citron.
● Ajoutez le jaune d'œuf, la farine, la levure et un blanc monté en neige. Versez dans un moule beurré et faites cuire à four chaud environ 15 à 20 minutes.
● Quand le gâteau est cuit, arrosez-le d'un jus de citron additionné de sucre glace et laissez refroidir.

VOUS ÊTES UN VIEIL ÉGOÏSTE
ET VOUS VOULEZ
VOUS ÉCLATER TOUT SEUL

Sans doute atteint d'une « paranoïa misanthropique » digne du vieux Jean-Jacques Rousseau, vous avez des « rêveries de mangeur solitaire ». Voilà des jours, peut-être des mois, des années (qui sait?), que vous vivez derrière vos grosses serrures, râlant contre la terre et le reste parce que votre jeunesse n'est plus dans le Bottin.

Nul homme, nulle femme, en ce monde d'intrigues et de calomnies ne vous semble plus digne de partager votre plat de raviolis.

Vous avez mis un drap blanc sur votre télé de peur que toutes ces guerres d'Irlande ou du Liban ne vous empêchent de manger.

A quoi pensez-vous, le nez dans votre soupe aux vermicelles? A des printemps en retard? Pas du tout, seulement qu'elle manque de sel.

Dans ce silence ordonné où chaque chose est à sa place, vous avez mis du papier tue-mouches pour les anges qui passent.

Si un de ces quatre vous décidiez de rompre la monotonie des jours?

Oh, je sais que vous n'allez pas inviter vos voisins à qui vous ne dites pas bonjour, ni aller le premier janvier au restaurant du coin avec un faux nez et quelques serpentins.

Mais, sans bouger de chez vous, un soir, ni de fête, ni d'anniversaire, un soir de rien où vous vous rendrez enfin compte que pour tout un chacun, au loin, la mort monte, empiffrez-vous et si votre vieux chien, incrédule, vous regarde, mettez-lui tout de même une assiette sur la table.

MENU A : LE PLUS SIMPLE

Citron pantouflard

● Ouvrez une petite boîte de sardines à l'huile, enlevez l'arête dorsale de celles-ci, écrasez-les sans pitié avec une fourchette et mélangez-les avec une cuillère à soupe de crème fraîche et un peu de persil haché.
● Videz un citron et remplissez-le avec le mélange précédent.

Foie sourire

1 tranche de foie de veau, 6 carottes, 1 cuillère à soupe de crème fraîche, muscade râpée, sel, poivre, un filet de vinaigre.

● Occupez-vous d'abord de ces carottes qui rendent si aimable. Dans une casserole, mettez-en 6, préalablement cuites et écrasées à la fourchette, avec une cuillère à soupe de crème fraîche et un peu de muscade râpée. Faites chauffer à feu doux.
● Dans une poêle contenant une noix de beurre chaud, mettez votre tranche de foie salée et poivrée (pas plus de 2 minutes par face, à feu vif). Posez-la dans votre assiette.
● Ajoutez au beurre de cuisson un filet de vinaigre, nappez votre tranche et entourez-la de la purée de carottes.

Ile flottante

1/4 de litre de lait, 60 g de sucre, 2 œufs, 1/2 gousse de vanille.

- Faites bouillir le lait, 40 g de sucre et la gousse de vanille.
- A part, séparez les blancs des jaunes.
- Battez les jaunes (et raciste en plus!).
- Montez les blancs en neige et incorporez-y 20 g de sucre.
- Plongez les blancs dans le lait en les retournant (2 minutes de chaque côté), égouttez-les. Mettez-les à part.
- Reportez le lait à ébullition et versez-le doucement sur les jaunes battus.
- Remettez le tout à feu doux une minute (sans laisser bouillir). Laissez refroidir et versez sur les blancs.

GRR
RRR

MENU B : LE PLUS ÉGOÏSTE

Salade aux crottins de Chavignol chauds

- Coupez les crottins frais.
- Parsemez-les d'herbes de Provence.
- Mettez-les à four assez vif (thermostat 8) 5 minutes.
- Servez avec une frisée, de préférence.

Côte de bœuf aux morilles

1 côte de bœuf, 20 g de morilles sèches, une échalote, 2 cuillères de crème fraîche, un filet de cognac.

- Faites tremper les morilles dans de l'eau tiède 1 heure (enlevez le pied s'il y a de la terre).
- Au bout de ce temps, coupez les morilles en deux et lavez-les.
- Dans une casserole, faites revenir l'échalote hachée.
- Quand la couleur tire sur le blond, ajoutez les morilles, une pincée de sel, une pincée de poivre.
- Ajoutez un filet de cognac. Faites qu'il se répande partout dans la poêle. (On appelle cela : déglacer).
- Ajoutez la crème fraîche et laissez sur le feu 1 minute.
- Faites cuire la côte à part, dans une poêle, à feu vif et nappez-la au moment de servir avec la sauce aux morilles.
- Bon appétit!

Petit soufflé misanthrope

1/4 de litre de lait, 60 g de sucre, 35 g de farine, 2 œufs entiers plus 2 blancs.

- Faites bouillir le lait et le sucre.
- A part, mélangez les deux œufs entiers avec la farine.
- Quand le lait bout, ajoutez petit à petit ce mélange.
- Remuez énergiquement hors du feu.
- Remettez le tout sur le feu 2 minutes et remuez encore (Allez du nerf!).
- Montez les 2 blancs en neige, mélangez-les au reste, ajoutez quelques gouttes de Grand-Marnier.
- Mettez cette préparation dans un moule beurré et fariné à four très doux, environ 12 à 15 minutes.

VOUS SOUFFREZ
DU COMPLEXE DE POULIDOR

Toute votre vie, vous avez été meurtri de ne pas être le premier, à l'inverse de votre frère Richard qui dirige d'une main de fer une entreprise de gants de velours et vous ruminez douloureusement votre incapacité à faire de grands éclats.

Il y a pourtant des gens beaucoup plus médiocres que vous qui sont passés à la postérité. Des gens qui n'ont eu ni à gagner une bataille, ni même à traverser l'Atlantique en pédalo.

Tout le monde, ou presque, a oublié le nom du premier homme qui a marché sur la lune, personne ne saurait ignorer que Parmentier ou Béchamel ont existé.

Je connais des Napoléon, Victor Hugo et autres Jeanne d'Arc qui doivent enrager d'avoir eu tant de choses héroïques à faire pour que l'on se souvienne de leur passage sur cette terre, tandis que deux vieilles dames insignifiantes (les sœurs Tatin) ont réussi à leur grignoter une part de gloire en faisant juste une tarte!

N'est-ce pas une revanche éclatante pour les petites gens sans pedigree, sans galons, sans génie, sans fortune, que de pouvoir laisser leur nom (ne serait-ce que leur prénom) à l'Histoire, malgré une existence souvent obscure et dérisoire? N'est-ce pas Charlotte, Suzette ou Georgette, vous dont on murmurera éternellement le souvenir en passant devant une pâtisserie!

Pourquoi ne pas vous enfermer dans votre cuisine en catimini et essayer d'inventer un plat qui pourrait porter votre nom?

Cela vous permettra peut-être dans l'immédiat d'esbrouffer vos copains Escoffier du dimanche et Bocuse en toc, qui ramènent leur fraise dès qu'ils savent faire cuire un œuf à la coque.

44

Sauce

Ustensiles : 1 casserole, 1 spatule de bois.
Ingrédients : 500 g de beurre fondu, 3 dl de vinaigre,
6 jaunes d'œufs, 25 g d'échalotes hachées, 50 g d'estragon,
25 g de cerfeuil, 1 pincée de thym, 1 pincée de laurier, 1
pincée de paprika.

Ces ingrédients qui sont ceux d'une sauce célèbre, ne demandent qu'à être préparés à votre façon.
N'oubliez pas d'accompagner la mixture géniale que vous aurez concoctée d'une viande ou d'un poisson, selon votre inspiration.

Entremets

Ustensiles : 1 moule à gâteau, 1 casserole, 1 saladier,
2 spatules en bois.
Ingrédients : 100 g de farine, 50 g de beurre, 1/4 de verre de
lait, 1 pincée de levure, 1 pincée de sucre en poudre, 1 petite
pincée de sel fin.
Dans la casserole : 150 g de sucre en morceaux, un fond
d'eau, quelques gouttes de rhum, 100 g de confiture
d'abricot.

Futur Immortel, je vous laisse à votre euphorie créative en espérant que votre imagination ne débordera pas du moule à gâteau.

VOUS N'AVEZ AUCUNE IMAGINATION

Tous les soirs c'est le même leitmotiv : « Qu'est-ce que je vais encore bien pouvoir manger? »

Profitez de votre manque total d'imagination pour faire une bonne action : sauvez le bœuf!

Jusqu'aux années 1950, la vache regardait passer le progrès et les civilisations avec un détachement nonchalant et imperturbable. Elle se croyait à l'abri de la fin tragique des dinosaures et n'avait pas d'amertume d'être prise pour l'idiote du village, bien qu'ayant de lointains aïeux déifiés dans la civilisation égyptienne, de riches cousines devenues héroïnes de western et de vagues parentes, sacrées du côté de Bombay.

Autour d'elle, pourtant, il se passait des choses étranges que seul son manque de malice pouvait l'empêcher de voir : des hommes de la ville restaient des heures accroupis devant un de ces tournesols qu'elle aurait volontiers brouté, sans qu'il y eût là de quoi fouetter un veau. Jamais il ne lui serait venu à l'idée, avant la démocratisation de la blanquette surgelée, que cet hypocrite de tournesol renfermait en lui des substances barbares dont l'Homme se servirait pour faire du beurre, des escalopes et même des beefsteaks!

Ce n'est pas que notre vache ait un tempérament héroïque au point de penser que ne pas mourir à l'abattoir n'est pas mourir en vraie vache, mais toute mollassonne qu'elle soit, elle a quand même fini par comprendre qu'un jour, des imbéciles bâtiraient des sociétés qui vénéreraient le dieu protéine, où les foules avaleraient leur nourriture comme des hosties énergétiques, bref où elle serait désuète, inutile et encombrante.

Il fallait vraiment être l'Homme pour inventer un monde où c'est le tournesol qui mange la vache! Alors ce soir régalez-vous en ayant une pensée pour elle.

Faux-filet aux vrais oignons blancs

Hachez une dizaine de petits oignons blancs et faites-les dorer dans une poêle. Enduisez votre faux-filet de moutarde, faites-le cuire à votre goût et servez entouré des petits oignons.

Filet au roquefort

20 g de roquefort, 2 cuillères à soupe de crème fraîche, 1 noix de beurre, 1 pincée de poivre, 1 filet de cognac.

• Dans une petite casserole, faites fondre à feu doux le roquefort, la crème et le beurre poivré. Remuez pour que le mélange n'attache pas et ne fasse pas de grumeaux.
• Dans une poêle, faites cuire votre filet, posez-le dans votre assiette, versez un filet de cognac dans la poêle et ajoutez-le à la sauce au roquefort; laissez réduire un peu et versez cette sauce sur votre filet.

Petit émincé de bœuf

150 g de bœuf à griller, 8 échalotes, 1/2 gousse d'ail, 1 filet d'huile d'olive, sel, poivre.

• Coupez la viande en lamelles.
• Pelez les échalotes et coupez-les en quatre.
• Pelez et émincez la 1/2 gousse d'ail.
• Dans une poêle chaude huilée, mettez les échalotes, l'ail et

les lamelles de bœuf et faites cuire au maximum 3 minutes. Mélangez avec une spatule de bois et servez dans votre assiette.

Petit bœuf chasseur

200 g de bœuf, 50 g de lardons, 1 oignon, 50 g de champignons, 1 verre de vin rouge, 1 cuillère à café de farine, laurier, thym, ail, sel, poivre.

• Dans une cocotte huilée, faites revenir les morceaux de bœuf. Laissez dorer (côté pile et côté face) et ajoutez l'oignon émincé. Remuez.
• Quand l'oignon est roussi (pas noirci), saupoudrez d'un peu de farine et ajoutez le vin rouge, salez, poivrez. Ajoutez un peu de thym et de laurier et 2 têtes d'ail. Faites cuire à feu doux environ 1 heure 15.
• En fin de cuisson, ajoutez les champignons préalablement lavés et émincés.
• Enlevez le thym, le laurier et l'ail et servez-vous avec une ou deux pommes de terre cuites à l'eau.

Steak fou★★★

1 cœur de rumsteak de 200 g, 4 huîtres creuses, 1 cuillère à soupe de crème fraîche, moutarde.

• Passez les huîtres ouvertes 5 minutes à four chaud (thermostat 8).
• Retirez la chair des huîtres en préservant l'eau de mer et mettez-les dans une petite casserole. Ajoutez une cuillère

à café de crème fraîche et une pointe de moutarde. Faites émulsionner le tout.
- Poêlez votre steak et recouvrez-le avec cette sauce aux huîtres dans votre assiette.

Ce steak fou était l'un des plats favoris du Roi Soleil, grand coup de fourchette devant l'Éternel.

NOËL EN SOLO
MAIS PAS EN MÉLO

Vous avez débarqué à Paris ou ailleurs pour trouver un job et vous ne connaissez personne.

Vous êtes là, dans votre petit studio-kitchenette, en train de confectionner un coussin ou d'écouter des cassettes.

Vous êtes seule mais vous n'allez pas pour autant voir un remake des « Deux orphelines ».

Tous ces gens qui fourmillent dans les rues ampoulées avec des paquets plein de ficelles et de rubans, qui achètent à la sauvette une branche de sapin ou trois kilos de boudin blanc, ça vous fait plutôt hausser les épaules.

Vous savez bien que le Père Noël est payé au S.M.I.C. pour faire le trottoir devant les Galeries Lafayette et que les chevaux mécaniques ne tombent plus du ciel.

Et le petit Jésus où est-il dans tout ça? Après tout c'est son anniversaire. Quel âge cela lui ferait-il aujourd'hui si Judas ne l'avait pas trahi?

Allons, allons! Ne tombez pas pour autant dans l'athéisme primaire et retrouvez des bouffées d'enfance avec un bon repas pas orthodoxe.

Si vous êtes capable d'écouter ces lointains chants de messe de minuit sans attendre ce quelqu'un qui est le cadeau dont les grands ont besoin, c'est peut-être que votre solitude s'appelle Liberté.

MENU A : LE PLUS SIMPLE
Petit plateau de fruits de mer

Attention, les crustacés suivants ne se dégustent pas crus!
Buccins, bigorneaux, langoustines, crevettes.
Cet avertissement peut paraître inutilement alarmiste, j'ai
pourtant assisté à des repas où la maîtresse de maison avait
oublié cette évidence.
Voir des convives essayer d'attraper un bigorneau récalci-
trant, ou une crevette vagabonde est un spectacle digne d'un
film de Tati.
Pour éviter ces scènes, toutes désopilantes soient-elles, met-
tez-moi tout le monde (je parle des crustacés bien sûr!) au
court-bouillon séparément (eau frissonnante où vous avez
mis une ou deux feuilles de laurier, du thym, un oignon, du
persil, une carotte lavée et épluchée, du sel et du poivre).
Vous pouvez bien sûr ajouter des huîtres, des praires et des
oursins qui eux se dégustent crus.
N'oubliez pas le pain de seigle, le citron, la mayonnaise et le
muscadet.

Omelette de Noël★★★

*Farce : 1 boudin blanc, 4 marrons, 2 œufs, 2 foies de
volailles, 1 échalote, 1 filet de cognac, persil, thym, sel,
poivre.*

● Hachez, finement les foies de volailles, une branche de
persil, l'échalote et les marrons (en boîte).
● Émiettez le boudin (en enlevant la peau) et mélangez-le
avec les ingrédients précédents.

- Ajoutez une pincée de thym, un filet de cognac, deux œufs battus. Salez. Poivrez.
- Dans une casserole, faites cuire cette farce à feux doux en remuant fréquemment. Réservez-la au chaud.
- Préparez une omelette baveuse avec 3 œufs (je suppose que vous savez que ça se fait dans une poêle beurrée à feu vif).
- Enduisez la surface plane de l'omelette avec la farce.
- Roulez votre omelette dans la plus pure des traditions.

Pomme meringuée

1 pomme, 1 blanc d'œuf, 1 boulette de mie de pain, 1 filet de citron, 1 pincée de sucre en poudre, 1 pincée de vanille.

- Dans une petite casserole, mettez votre pomme épluchée et coupée en lamelles. Saupoudrez de sucre et de vanille. Ajoutez un filet de citron, faites cuire environ 7 minutes.
- Mélangez la mie de pain à la pomme cuite et versez le tout dans un ramequin.
- Montez le blanc d'œuf en neige, recouvrez-en la pomme et mettez à four chaud (thermostat 8) environ 8 minutes.

MENU B : TRÈS RAFFINÉ

Sauté d'huîtres aux légumes d'hiver★★★

6 huîtres belons ou spéciales, 1 carotte, 1 navet, 1/4 de betterave, 1 pincée de sucre, 1 cuillère à soupe de crème fraîche, ciboulette hachée, 1 jus de citron.

- Coupez la betterave, la carotte et le navet en bâtonnets.
- Faites cuire les bâtonnets de carotte et de navet dans de l'eau bouillante salée. Égouttez-les.
- Dans une poêle beurrée, faites sauter ces bâtonnets avec la betterave, ajoutez une pincée de sucre et un jet de citron. Réservez au chaud.
- Passez les huîtres (ouvertes) au four (thermostat 7) pendant 5 minutes.
- Enlevez la chair des huîtres en réservant l'eau et mettez-les dans un récipient.
- Faites fondre une cuillère de crème fraîche et le jus des huîtres dans une petite casserole, 2 à 3 minutes.
- Ajoutez les huîtres ainsi que la garniture (betterave, navet, carotte) et laissez frémir 30 secondes.
- Disposez le sauté d'huîtres dans une assiette chaude et parsemez de ciboulette hachée.

Tranche de chevreuil en bigarade★★★

200 g de chevreuil, 1 cuillère à soupe de vinaigre de xérès, 1 cuillère à café de confiture d'airelles, sel, poivre.

- Dans une petite casserole faites fondre la confiture avec la cuillère de vinaigre pendant 5 minutes.

- Poêlez la tranche de chevreuil.
- Nappez-la de bigarade chaude (confiture + vinaigre). Servez accompagné de purée de céleri.

Pied de nez à la framboise★★★

1/4 de pot de crème fraîche, 250 g de framboises, 1 cuillère à café de sucre glace, 1/2 jus de citron.

- Lavez et équeutez les framboises. Faites-en une purée et incorporez-y la cuillère de sucre glace.
- Gardez la moitié de ce coulis. Montez la crème en Chantilly et incorporez-y l'autre moitié de coulis.
- Disposez dans un saladier ou ramequin et laissez au congélateur 1 heure et demie.
- Démoulez au dernier moment dans une assiette et servez avec le coulis réservé dans lequel vous aurez ajouté 1/2 citron pressé.

JOYEUX NOEL!
★★★ ★★★ ★★★

II

2 PERSONNES

Fainéants notoires, célibataires mal endurcis, amoureux transis ou couples en péril, si vous voulez éviter des gestes et des mots inutiles, il n'y a que le premier plat qui coûte...

VOUS AVEZ UN POIL
DANS LA MAIN

Vous partagez votre appartement avec un copain ou une copine et vous êtes aussi cossards l'un que l'autre.

Pas du tout du genre à faire la queue à l'A.N.P.E. ni à acheter le *Figaro* dès sa sortie pour trouver un boulot à la noix, vous attendez d'avoir le dos au mur pour vous secouer un peu les puces.

Bien qu'on l'ait classée officiellement en tête des sept péchés capitaux, nul ne pourrait apporter la preuve irréfutable que la paresse est un défaut.

Ça peut être une maladie beaucoup plus mystérieuse encore que l'hypocondrie ou le syndrome de machinchouettechose fait que vous avez du mal à lever l'auriculaire (doigt d'ailleurs superflu dont personne ne se sert).

Alors, pour vous qui vous sentez envahi d'une bouffée de découragement proche de la tétanie à l'idée d'avoir à faire les courses, pour qui cuisine = vaisselle (non merci), voici quelques suggestions.

Dites-vous bien cependant que le repas idéal (celui qui tombe tout chaud, tout rôti dans la bouche) n'existe pas. Il y a toujours un oignon à éplucher, un melon à épépiner, une tomate à couper.

Si votre réfrigérateur est aussi vide que votre estomac, il ne vous reste plus qu'à tirer à pile ou face avec votre copain pour savoir qui se tapera la vaisselle de huit jours et qui descendra faire les courses.

JUSTE DEUX PETITS POTS À SALIR :

Œufs alanguis

Cassez un œuf dans chaque petit pot ou ramequin, ajoutez 2 cuillères à café de crème fraîche et une bonne pincée de muscade. Salez, poivrez. Mettez à four très chaud (thermostat 8), 5 à 8 minutes, selon la grosseur des œufs. Il faut que le jaune soit baveux.

JUSTE UN SALADIER À SALIR :

Salade corse

1 boîte de marrons, 1 fromage de brebis, vinaigrette à l'huile d'olive.

- Égouttez les marrons, coupez-les en quatre dans le saladier.
- Émiettez le fromage de brebis dessus.
- Nappez de vinaigrette et mélangez.

58

Escalopes de dinde à la paresseuse

2 escalopes de dinde, 1/2 jus de citron, 1 courgette, 2 tomates, ail, persil, paprika en pot, estragon, sel.

• Coupez les tomates lavées, en deux. Saupoudrez-les d'ail, persil, paprika, estragon et sel.
• Épluchez et coupez la courgette en rondelles. Saupoudrez-les d'estragon. Salez. Poivrez.
• Mettez-les dans une poêle beurrée à feu moyen. Faites cuire également les escalopes de dinde salées et poivrées.
• Servez les escalopes citronnées sur le lit de légumes dans chaque assiette.

JUSTE UNE CASSEROLE À SALIR :

Filets de sole cossards

4 filets de sole, 1 échalote, 1 petit pot de crème fraîche, 1/4 de verre de vin blanc sec, 1 filet d'eau, sel, poivre.

• Dans une casserole beurrée, mettez l'échalote hachée très fin, posez les filets de sole salés et poivrés dessus. Versez le vin blanc et le filet d'eau, couvrez la casserole avec une feuille de papier d'aluminium et laissez cuire à feu doux environ 5 minutes.
• Enlevez les filets de sole et servez-les dans vos assiettes respectives.
• Dans la casserole, ajoutez la crème fraîche. Mélangez. Nappez vos filets de sole avec cette sauce.

JUSTE UN PLAT AU FOUR À SALIR :

Tomates Agadir

2 grosses tomates par personne, 4 merguez, persil, 1 oignon, sel.

- Hachez l'oignon et le persil.
- Enlevez la peau des merguez et mélangez-les au persil et à l'oignon haché.
- Lavez et évidez les tomates. Salez l'intérieur.
- Remplissez les tomates de la farce de merguez et mettez à four moyen (thermostat 7) 10 minutes environ.

JUSTE UN FAITOUT À SALIR :

Haricots blancs aux lardons jaunes

1 boîte de haricots blancs nature, 150 g de lardons, 2 oignons, 1 échalote, 3 citrons, 1 gousse d'ail, 1 boîte de sauce tomate, 1 boîte de tomates pelées, piment rouge, paprika, sel, poivre.

- Coupez et hachez l'oignon, l'ail, l'échalote.
- Dans le faitout, faites revenir les lardons (sans huile) à feu assez vif. Ajoutez l'oignon, l'ail et l'échalote hachés. Faites dorer 2 minutes.
- Mettez les haricots blancs égouttés, la boîte de sauce tomate, les tomates pelées coupées en trois et le jus de 3 citrons dans le faitout. Salez, poivrez. Ajoutez le piment et le paprika selon votre goût. Laissez mijoter à feu doux une bonne demi-heure.

Ce plat a l'avantage de pouvoir être servi réchauffé le lendemain.

VOUS AVEZ UNE AMIE
ÉTERNELLEMENT DÉPRIMÉE

Elle nage dans le drame et patauge dans les petits problèmes sans importance avec l'affolement exaspérant de ceux qui sont nés pour avoir douze domestiques et que des temps trop démocratiques condamnent à n'en employer que deux.

Cette fois, elle est au fond du trou à cause de la couleur horrible des carreaux de la piscine qu'elle est en train de se faire construire, et c'est toujours à vous qu'elle téléphone pour faire partager son désespoir.

Si c'était vous qui l'appeliez pour lui annoncer que vous avez la tuberculose ou que des voleurs viennent de saccager votre appartement, bien sûr elle trouverait ça désolant mais s'intéresserait davantage aux symptômes de votre maladie afin de s'assurer qu'elle ne l'a pas elle-même, ou vous ferait imaginer le désastre si des voyous s'étaient introduits chez elle qui possède un Matisse inestimable alors qu'on ne vous a emporté que quelques lithos minables.

Je ne comprends pas très bien votre amitié pour une pareille punaise, mais peut-être a-t-elle une face cachée que vous êtes seule à connaître.

Si vous ne pouvez pas faire autrement que de l'inviter ce soir, essayez quand même de lui faire comprendre qu'il y a pire.

Préparez-lui un repas qui serait un festin pour des millions d'individus dans le monde. On ne sait jamais, peut-être ouvrira-t-elle un instant les yeux sur autre chose que son nombril et que ses malheurs gigantesques deviendront plus petits.

Potage péruvien

2 os à moelle, 2 tranches de jambon, 2 oignons, 200 g d'orge, 1 cuillère de crème fraîche, 5 grains de poivre concassé, sel, fines herbes, paprika, ciboulette.

• Dans un faitout, mettez les deux os à moelle, les oignons coupés grossièrement, le poivre concassé, une pincée de sel. Recouvrez d'eau froide et faites cuire 3/4 d'heure.
• Dans une casserole, faites cuire l'orge (préalablement bien lavée) dans de l'eau froide. Égouttez-la (pas la casserole, l'orge).
• Ajoutez-la dans le faitout et retirez les os à moelle.
• Mettez le jambon coupé en filets, la crème et les fines herbes. Au dernier moment, saupoudrez de ciboulette hachée.

ou Potée mexicaine

200 g de bœuf bourguignon, 1 boîte de haricots verts extra-fins, 1 petite boîte de maïs, 1 tomate, 2 oignons, 1/2 gousse d'ail, 1 pincée de cayenne, 1 pincée de paprika, sel, poivre.

• Dites à votre boucher de couper la viande en dés. Faites-la cuire dans un faitout, recouverte d'eau froide légèrement salée, 20 minutes.
• Pendant ce temps, épluchez les oignons et la tomate en rondelles. Pilez l'ail grossièrement et lavez le maïs.

• Quand la viande est cuite, ajoutez les haricots, l'ail, les oignons, le paprika et la pincée de cayenne. Laissez mijoter 10 minutes.

• Ajoutez la tomate et le maïs, laissez mijoter encore environ 15 minutes en mélangeant de temps en temps.

SI VOUS N'ÊTES PAS SYMPA

Omelette Hô Chi Min

4 œufs, 80 g de viande hachée, 100 g de germes de soja, 1 oignon, 1 cuillère de nuoc-mâm, sel, poivre.

• Pelez et émincez l'oignon et faites-le revenir dans une poêle.

• Ajoutez la viande hachée et les germes de soja.

• Battez les œufs avec le nuoc-mâm, salez, poivrez.

• Recouvrez les ingrédients qui sont dans la poêle avec les œufs battus.

ou Riz cantonnais

2 poignées de riz, 1 petit oignon, 100 g de lard fumé, 1 œuf, quelques champignons séchés, quelques restes de viande (poulet, porc, etc.), sauce au soja, ciboulette en pot, 1 pincée de cayenne, 2 gouttes de nuoc-mâm, sel, poivre.

• Faites tremper vos champignons 20 minutes dans de l'eau tiède.

• Faites cuire le riz 10 à 12 minutes dans 3/4 de litre d'eau bouillante salée. A feu moyen.

• Pendant ce temps-là, coupez le lard en petits cubes, hachez les restes de viande et l'oignon en petits morceaux. Coupez les champignons en lamelles et faites revenir tout ce monde-là dans une poêle beurrée, à feu vif.

• Quand le riz est cuit et soigneusement égoutté, versez-le dans la poêle et faites-le rissoler 2 minutes en remuant avec une spatule de bois. Ajoutez la ciboulette et le cayenne.

● Battez l'œuf en omelette dans un bol. Salez. Poivrez. Ajoutez un peu de lait ou d'eau et versez cet œuf battu dans une poêle beurrée très chaude pour obtenir une omelette fine (1 cm d'épaisseur) que vous découperez en lanières.

● Disposez ces lanières sur le riz et nappez avec la sauce au soja. Ajoutez les gouttes de nuoc-mâm. A vos baguettes!

VOUS AVEZ UNE MÈRE ABUSIVE

Sous prétexte qu'elle vous trouve toujours l'air pâlichon et qu'elle vous croit incapable de vous faire cuire un œuf sur le plat, elle n'arrête pas de vous envoyer des produits de la ferme et de vous téléphoner tous les matins pour vous rappeler de prendre soin de votre santé.

Elle vous tricote des cache-col et des passe-montagnes pour l'hiver et tomberait dans les pommes si vous lui disiez : « Maman, tu exagères, j'ai trente ans et je peux assumer mes angines. »

Condamné à avoir en toute saison bonne mine, les joues luisantes comme des pommes reinettes et les cheveux sagement coupés, il vous prend des envies de vous teindre la crinière en bleu, en orange ou en vert, de porter des pantalons de clown, de partir au bout de la terre, là où elle ne vous retrouverait pas, même chez Hare Krishna.

Si vous n'avez jamais eu le courage de lui dire : « Regarde-moi, tu me vois comme une rose mais je suis un poireau. » Sûr qu'elle ne vous croirait pas ou qu'elle tomberait malade, invitez-la et gavez-la.

Surtout forcez-la à ne rien laisser dans son assiette comme elle le faisait avec vous quand vous étiez petit. Si après ce repas elle persiste dans son attitude, recommencez jusqu'à ce qu'elle crie grâce et que le cordon ombilical se casse.

MENU A : LE PLUS BOURRATIF

Terrine de foies de volailles

350 g de foies de volailles, 150 g de chair à saucisse, 1 œuf entier, 1 cuillère à soupe de crème fraîche, 1 cuillère à soupe de cognac ou d'armagnac, 1 échalote, 1 pointe d'ail, thym, 2 feuilles de laurier, muscade, sel, poivre, barde.

- Hachez l'échalote, l'ail, les 2 feuilles de laurier et 1 carré de barde.
- Tapissez une terrine avec 3 bardes entières.
- Mélangez tous les ingrédients et mettez-les dans la terrine.
- Faites cuire au bain-marie à four moyen (thermostat 7), 2 heures.
- Retirez le bain-marie et mettez la terrine seule à four doux (thermostat 5), 3/4 d'heure.

A resservir à votre mère si elle s'installe chez vous.

Gratin gargantua

1 boîte de crabe, 6 pommes de terre moyennes, 1 pot de crème fraîche, 1 litre de lait, 6 œufs, 150 g de gruyère râpé, muscade, sel, poivre.

- Dans une casserole faites cuire les pommes de terre à l'eau. Enlevez la peau et coupez-les en rondelles; réservez-les.
- Faites durcir des œufs, enlevez la coquille; coupez-les en rondelles et réservez-les.
- Préparez une *sauce Mornay* : dans une casserole, faites bouillir 3/4 de litre de lait salé et poivré. Dans une autre casserole, mettez une noix de beurre et 50 g de farine. Faites chauffer à feu doux en remuant avec une spatule de bois jusqu'à ce que le mélange devienne une pâte rousse (c'est pourquoi on appelle ça un roux). Versez doucement le lait

bouilli sur ce roux et vous obtiendrez une première sauce qui n'est autre qu'une *béchamel*. Ajoutez à cette sauce 4 jaunes d'œufs et 100 g de gruyère râpé et vous obtiendrez une *sauce Mornay*. Laissez-la en ébullition environ 3 minutes.

• Nappez le fond d'un plat pouvant aller au four avec un peu de sauce. Mettez une couche de pommes de terre, quelques miettes de crabe et des œufs. Nappez à nouveau avec un peu de sauce, ajoutez une nouvelle couche de crabe, d'œufs et de pommes de terre. Nappez avec le reste de sauce. Ajoutez du gruyère râpé et une noix de beurre en surface et faites gratiner 10 minutes.

Pudding à la fleur d'oranger

60 g de sucre, 60 g de farine de riz, 2 œufs entiers + 1 blanc, 1/4 de verre de lait, 1 zeste d'orange, quelques gouttes d'essence de fleurs d'oranger.

• Dans un récipient, mélangez le sucre, la farine de riz, le lait et les 2 œufs entiers.

• Montez le blanc en neige, incorporez-le au reste. Ajoutez le zeste d'1/2 orange et 4 gouttes d'essence de fleurs d'oranger.

• Mettez dans un moule beurré et faites cuire à feu doux (thermostat 5-6), 20 minutes.

MENU B : LE PLUS SUBTIL

Crème d'oseille

• Préparez 1/2 litre de sauce béchamel (voir menu précédent).

• Dans une casserole bien beurrée, faites fondre 250 g d'oseille.

• Quand l'oseille est fondue, ajoutez-la à votre béchamel, mettez 2 cuillères à soupe de crème fraîche et 1/2 tablette de bouillon de bœuf. Laissez mijoter le temps que la tablette s'incorpore.

Soufflé de poisson

150 g de poisson (lieu ou colin), 4 pommes de terre, 1 oignon, 1/2 gousse d'ail, 3 œufs entiers, 1 boulette de mie de pain, 1 fond de lait, 1/2 citron, 1 pincée de cayenne, 1 pincée de muscade, 1 pincée de persil haché, court-bouillon, pas de sel.

• Faites cuire vos pommes de terre à l'eau et écrasez-les en purée avec un fond de lait. Mettez à part.

• Faites cuire le poisson au court-bouillon (eau frissonnante dans laquelle vous mettez du thym, du laurier, du persil, 1 oignon).

• Émiettez le poisson cuit et mélangez-le à la purée.

• Ajoutez l'ail, le persil et l'oignon hachés (pas ceux du court-bouillon) puis une pincée de muscade et une pincée de cayenne. Incorporez 3 jaunes d'œufs.

• Battez les blancs en neige et incorporez-les au reste. Mettez dans un moule beurré à four doux (thermostat 5) pendant une demi-heure. Vous pouvez également mettre de la mie de pain si vous voulez que votre soufflé soit plus consistant.

Gâteau de bananes

2 bananes, 150 g de farine, 50 g de beurre, 1 jaune d'œuf, 1 cuillère à soupe de sucre en poudre, 1 pincée de levure, 1 petite pincée de sel.

• Dans un récipient, mettez la farine, le beurre ramolli, le jaune d'œuf, la pincée de sel et la levure. Mélangez énergiquement.

• Renversez cette pâte dans un moule beurré et passez au four moyen (th 7) pendant 1/4 d'heure.

• Laissez refroidir et garnissez avec les bananes coupées en rondelles, nappez de sirop d'érable.

MENUS-TESTS
POUR CANDIDATS AU MARIAGE

Peut-être lassée de ce qu'un plaisantin anonyme vous dépose chaque année une coiffe de catherinette devant la porte, ou par simple besoin légitime de construire un foyer, vous commencez à avoir des arrière-pensées nuptiales. Mais le Prince Charmant a dû rester coincé dans un embouteillage ou est en train d'essayer de réveiller une Belle au Bois dormant qui, bourrée de somnifères, a du mal à ouvrir les paupières.

Vous êtes libre et équilibrée alors forcément ça fait fuir les hommes... Comment voulez-vous qu'ils arrivent avec leur grande cape de Zorro pour vous sauver de la solitude?

Il y a cependant dans votre entourage, un garçon gentil qui vous fait la cour. Oh ce n'est pas Delon mais son opiniâtreté amoureuse a fini par vous toucher, faute de vous ébranler.

Avant de vous jeter à cœur perdu dans un mariage de raison, essayez de démasquer le vilain mari qui peut sommeiller au fond d'un soupirant.

Invitez-le et observez ses réactions devant les plats que vous aurez préparés.

Dans un panier de crudités par exemple, c'est fou ce qu'il y a comme indices : les hommes qui n'aiment que le céleri sont de piètres amants et les mangeurs d'oignons de sacrés égoïstes. Vous pouvez également servir des entrecôtes marchand de vin (ceux qui trempent leur pain goulûment dans la sauce sans toucher à la viande ont de fortes chances d'être des alcooliques invétérés).

Si vous voulez réellement confondre votre prétendant, faites un repas juif ou arabe; il vous dévoilera sa mentalité profonde.

Soupe de betteraves

3 betteraves rouges, 1 gros oignon, 1 œuf, 2 grands bols d'eau, 1 cuillère à soupe de sucre en poudre, 1 petite tasse de crème fraîche, 1 filet de jus de citron, sel, poivre.

• Pelez l'oignon et les betteraves. Coupez-les en dés et faites-les cuire dans l'eau légèrement salée et poivrée. Ajoutez le sucre et le jus de citron. Faites cuire 10 minutes à feu doux.

• Battez l'œuf comme pour une omelette et mettez un peu de la soupe de betterave chaude sur cet œuf battu. Remuez et remettez dans la casserole 15 minutes. Mixez. Ajoutez la crème au moment de servir.

Coquelet à la juive

1 coquelet, 2 noix de beurre, 2 échalotes hachées, 2 pointes d'ail, 1 pincée de farine, sel, poivre, 50 g de graisse de rognon de veau.
Pour la garniture : 2 poireaux, 4 carottes, 2 navets, 2 pommes de terre.

• Demandez à votre boucher qu'il vous découpe le poulet en morceaux. Surtout qu'il vous donne les abats.

• Avec ces abats (cœur, foie, gésier) vous ferez une sauce en les trempant avec les légumes épluchés dans 1 litre d'eau salée et en les faisant cuire avec eux.

• Dans une cocotte beurrée, faites revenir les morceaux de poulet.

• Quand ils ont blondi, ajoutez les échalotes et l'ail.

● Saupoudrez de farine et ajoutez le jus et les légumes. Laissez cuire une heure à feu moyen (n'oubliez pas le couvercle).

Crimselich

● Faites tremper 4 morceaux de pain dans de l'eau.
● Égouttez-les, mettez-les dans un récipient. Nappez avec une cuillère à café de rhum, saupoudrez de sucre en poudre, d'amandes pilées et de raisins secs, mélangez.
● Faites frire dans une friteuse chaque morceau de pain en les tenant dans une louche.

Courgettes à l'ail
(en arabe, Koûssa maglî bi zayt)

• Épluchez 4 courgettes et une demi-gousse d'ail. Hachez cette dernière.
• Coupez les courgettes en tranches fines dans le sens de la longueur.
• Faites cuire les tranches de courgette et l'ail dans une poêle contenant de l'huile chaude. Salez.
• Mettez-les dans un plat; graissez avec un peu d'huile de la poêle et nappez avec un yaourt.
A déguster chaud ou froid.

Entrecôtes bordelaises

2 entrecôtes, 1/2 verre de bordeaux, 1 échalote hachée, 1 pincée de farine, sel, poivre, 1/2 tablette de bouillon de bœuf, moelle.

• Faites fondre la tablette de bouillon de bœuf dans une casserole contenant 1 petit verre d'eau.
• Hachez l'échalote finement et faites-la revenir dans une poêle beurrée avec une pincée de farine. Réservez.
• Faites cuire vos entrecôtes selon votre goût et mettez-les au chaud.
• Remettez l'échalote dans la poêle (à feu doux), ajoutez le demi-verre de bordeaux et autant de bouillon de bœuf. Laissez réduire de moitié. Ajoutez la moelle (fraîche) et laissez-la fondre un peu.
• Nappez les entrecôtes de cette sauce. Salez et poivrez au moment de servir.

73

Riz au lait à l'arabe
(Rouzz bi-halib)

1/2 litre de lait, 80 g de riz, 100 g de sucre, une pincée de cannelle, 1 pincée d'amandes pilées.

• Lavez le riz et jetez-le dans une casserole de lait bouilli, 15 minutes environ, à feu doux.

• Croquez un grain (au hasard) pour vérifier que le riz est cuit, ajoutez le sucre et remuez.

• Laissez bouillir 2 à 3 minutes; ajoutez une pincée de cannelle, une pincée d'amandes pilées et servez directement dans les assiettes.

MENUS TESTS POUR
TROP BEAUX BRUNS TÉNÉBREUX

Cette fois-ci c'est le flash intégral, vous en pincez pour un bel hidalgo au regard cérule.

Doucement, doucement; d'accord il est galant avec vous et volubile devant ses copains, mais que cache-t-il derrière son humour un peu superficiel et son dilettantisme rayonnant?

Entre le tintamare des brasseries et les décibels des boîtes de nuit, vous n'avez pas encore réussi à déterminer si son intellect est plus proche de celui d'Einstein que de celui de Mac Mahon *.

TESTEZ-LE!

Parmi tous les personnages célèbres ayant donné un nom à un plat, vous trouverez à faire un choix.

De l'entrecôte Mirabeau jusqu'à la pêche Melba *, si l'on devait faire un hit-parade des grands hommes de ce monde qui ont fini dans une assiette, c'est Colbert qui serait l'incontestable n° 1. On retrouve son nom dans le beurre, la sauce, les œufs, les artichauts, les poissons et même les fruits; vient ensuite Henri IV. Beaucoup plus loin, on trouve Mazarin et Richelieu (le Maréchal). Tout en bas de ce hit, quelques égarés tels Marie Stuart, Nelson, Pancho Villa dont on se demande comment ils ont atterri là!

Invitez donc votre play-boy et préparez-lui par exemple des œufs à la Colbert, une entrecôte Mirabeau suivie d'un Marignan.

Si aucun de ces noms n'éveille en lui de réminiscence historique, et si vous l'avez toujours dans la peau, apprêtez-vous à mener une pénible existence de pygmalion.

* Voir annexes.

Œufs à la Colbert

- Préparez un beurre Colbert de la façon suivante : 50 g de beurre ramolli, persil haché, filet de citron, 1 pincée d'estragon, 1 filet de glace de viande. Mélangez.
- Dans 2 ramequins, mettez 1 cuillère à café de crème chaude et cassez les œufs dessus. Salez. Poivrez. Mettez les ramequins au four au bain-marie, 8 minutes, recouverts de papier aluminium.
- Quand les œufs sont cuits, entourez les jaunes avec le beurre Colbert.

Entrecôtes Mirabeau

- Faites cuire les entrecôtes pommadées de beurre d'anchois selon votre goût.
- Salez, poivrez et servez-les décorées de quelques filets d'anchois, dessus, et d'une dizaine d'olives vertes et noires, autour.

Marignan

- Préparez un savarin et un sirop si vous ne voulez pas l'acheter tout fait.
- Préparez des meringues italiennes (voir table des recettes).
- Humectez bien votre savarin avec le sirop tiède (16°).
- Égouttez-le et coupez un couvercle mince. Garnissez avec la meringue italienne.

76

- Faites chauffer de la confiture d'abricot additionnée d'eau (détendue) et abricotez le tout à l'aide d'un pinceau.

Cette recette simplifiée est celle de Darenne et Duval. Si votre soupirant ne connaît pas la date approximative de la bataille de Marignan, mes sincères condoléances.

MENU B : LE PLUS INTELLO

Toasts Nabuchodonosor

6 tranches de pain de mie, 3 tranches de bacon, 1 tomate, 1 cœur de laitue, 1 blanc de poulet, mayonnaise maison ou en pot.

- Poêlez et émincez le blanc de poulet.
- Lavez et émincez la laitue et la tomate.
- Mélangez le blanc de poulet émincé et la laitue avec de la mayonnaise.
- Faites frire les tranches de bacon.
- Poêlez les toasts dans du beurre (pile et face).
- Coupez vos tranches de pain de mie suivant une diagonale pour obtenir 2 triangles (vous obtiendrez ainsi 12 triangles).
- Mettez 2 triangles l'un sur l'autre, disposez dessus une couche de salade et de poulet et une tranche de tomate. Superposez 2 autres triangles de pain de mie doré, disposez dessus une couche de salade, poulet, tomate et du bacon. Recouvrez avec 2 autres tranches de pain de mie.
- Si vous ne vous êtes pas trompée, vous devez avoir une pyramide dans une assiette. Recommencez avec les 6 triangles de pain de mie qui vous restent et bâtissez votre deuxième pyramide.

Tournedos Rossini

2 beaux tournedos, quelques lames de truffes, 100 g de foie gras frais, 1 filet de cognac.

- Dans une poêle beurrée chaude, faites griller vos tournedos.

- Parallèlement, dans une autre poêle beurrée, faites sauter le foie gras et les lamelles de truffes.
- Quand les tournedos sont cuits, mettez-les chacun sur une tranche de pain grillé.
- Dans la première poêle, ajoutez un filet de cognac au jus des tournedos et versez sur les tranches de viande et le pain.
- Placez le foie gras et les lamelles de truffes au-dessus. Servez accompagné de pommes de terre rissolées.

Pêches Melba *

- Pochez 4 pêches épluchées et dénoyautées dans une casserole contenant un sirop vanillé (1 dl d'eau, 100 g de sucre, 1 pincée de vanille).
- Mettez deux moitiés de pêche par coupe et couvrez de glace à la vanille.

VOUS ÊTES
LE PAUVRE VER LUISANT
AMOUREUX DE L'ÉTOILE

Elle vous humilie en ne vous rappelant pas lorsque vous laissez des messages angoissés sur son répondeur automatique, en riant aux éclats dès qu'un bellâtre harnaché de chaînes lui raconte une stupide histoire belge que tout le monde connaît, en vous envoyant chercher de l'aspirine à 4 heures du matin dans une hypothétique pharmacie de garde, en s'obstinant à ne pas vouloir danser avec vous sous prétexte qu'elle vous trouve trop petit.

ÇA SUFFIT! RENVERSEZ LA VAPEUR!

Laissez tomber les talonettes vous ne serez jamais à la hauteur. Démystifiez-la. Ce sera plus radical.

Voici quelques idées pour la remetre un peu à sa place.

En entrée, un potage (quelqu'un qui fait du bruit en mangeant sa soupe perd un peu de son mystère) ou une salade (une femme qui s'éclabousse de vinaigrette est déjà moins inaccessible).

En plat de résistance, vous pouvez choisir du petit gibier qu'il est si difficile de manger sans y mettre les doigts, ou bien des spaghetti (si elle les avale comme des asticots, regardez-la bien dans les yeux).

Pour dessert, je vous conseille les pâtisseries saupoudrées de sucre glace (essayez de la faire rire au moment où elle les portera à ses lèvres).

A moins que les plats précédents n'aient déjà fait mouche, en désespoir de cause essayer juste une orange (l'hermétique rondeur de ce fruit laisse toujours les gens perplexes).

Potage au cresson

• Lavez une botte de cresson dans de l'eau froide (lavez vraiment, ne faites pas semblant) et pelez 4 pommes de terre moyennes, lavez-les également et coupez-les en dés.

• Dans une grande casserole, versez 75 cl d'eau froide; mettez dedans 3/4 de la botte de cresson et les pommes de terre. Salez, poivrez. Faites cuire à feu moyen (vérifiez la cuisson en plantant une fourchette dans une pomme de terre).

• Quand vous estimez que c'est cuit, mixez le tout avec un robot (si vous n'en avez pas, vous êtes mal parti car il vous faudra passer le tout à la moulinette). Le mélange doit être onctueux, au besoin vous pouvez ajouter un peu de crème fraîche.

• Versez le potage dans une soupière (c'est plus poli). Décorez avec des croûtons et le reste du cresson blanchi (c'est plus joli).

Frisée aux lardons

• Lavez la frisée à l'eau vinaigrée (quelques gouttes de vinaigre), égouttez-la et mettez-la dans le plat de présentation.

• Faites chauffer une poêle avec très peu d'huile, et faites revenir 200 g de lard fumé coupé en dés.

• Pendant que vos lardons reviennent (non pas parce qu'ils étaient partis mais parce qu'ils doivent dorer à feu doux sans noircir), faites bouillir de l'eau dans une petite casserole. Plongez-y 2 œufs durant 4 à 5 minutes.

• Pour ne pas rester sans rien faire pendant que tout ce petit monde-là mijote, préparez votre vinaigrette.

• Retirez les œufs et épluchez-les sous l'eau froide.
• Après avoir séparé les lardons chauds de leur huile de cuisson, éparpillez-les sur la frisée, ajoutez les 2 œufs mollets et nappez le tout de vinaigrette.

Spaghetti aux moules

1 litre de moules, 1 oignon, 1 branche de thym, persil, 1 verre de vin blanc, 2 grosses poignées de spaghetti, sel, poivre, beurre ou crème fraîche.

• Grattez et lavez les moules. Jetez les suspectes. Mettez les élues dans une casserole avec une branche de thym, un oignon, du persil et un verre de vin blanc. Salez, poivrez. Faites cuire à feu vif environ 10 minutes en les remuant de temps en temps. Quand les moules seront ouvertes, ce sera prêt.
• Plongez les spaghetti dans de l'eau bouillante salée durant 7 minutes.
• Égouttez les moules en prenant soin de récupérer le jus de cuisson dans un récipient placé sous l'écumoire; inutile de garder les coquilles, sauf si vous faites collection de coquillages, ni le thym, ni l'oignon, ni le persil, hop! Poubelle!
• Égouttez les spaghetti et mélangez-les avec les moules et le jus dans le plat de présentation.
Attention à la marche!

Cailles aux raisins

2 cailles par personne, 2 grosses grappes de raisin blanc, 1/2 verre de cognac.

• Faites chauffer votre four au thermostat 9.

• Salez et poivrez les cailles à l'intérieur comme à l'extérieur.

• Épluchez le raisin d'une grappe en enlevant la peau et les gros pépins. Avec l'autre grappe, faites du jus que vous récupérez dans un verre. Quand le four est chaud, mettez les cailles à rôtir, 10 minutes environ.

• A mi-cuisson, ajoutez le cognac et le jus de raisin, baissez un peu le thermostat du four. Quand les cailles sont bien dorées, servez.

Millefeuille

• Achetez de la pâte feuilletée toute prête si vous n'avez pas le courage de la faire. Étendez-la au rouleau sur une table farinée.

• Découpez des petits rectangles de 10 cm de long sur 5 de large dans cette pâte.
Faites-les cuire sur une plaque huilée à four chaud, 10 minutes maximum. Au bout de ce temps, retirez-les du four et laissez-les refroidir.

• Préparez une crème pâtissière et laissez-la refroidir aussi.

• Quand tout le monde est bien froid, prenez un rectangle et badigeonnez-le d'une épaisse couche de crème pâtissière (voir index). Prenez un deuxième rectangle et recouvrez cette couche. Couvrez d'un troisième rectangle que vous saupoudrez de sucre glace.

VOUS RECEVEZ BRIGITTE BARDOT

Si vous êtes mesquin, vous pouvez toujours lui resservir les recettes précédentes mais je parie qu'elle s'en sortira avec beaucoup d'élégance.

Il serait plus adapté et plus noble de lui préparer un repas végétarien.

Bien que de nombreuses expériences aux États-Unis et ailleurs aient prouvé que les plantes ont « une sensibilité » voire de « la mémoire », il lui semblera moins cruel d'avaler les yeux fermés une asperge que de faire souffrir un rosbeef frais.

Des savants qui n'ont vraiment rien à faire ne viennent-ils pas de prouver qu'en soumettant un morceau de viande fraîche à une déshydratation accélérée, l'autre morceau placé à 500 km se dessèche à la même vitesse!

De toute façon, non seulement la cuisine végétarienne est excellente, mais dans certaines régions du Caucase, des hommes vivent centenaires en se nourrissant uniquement de nos amis les végétaux.

N'oubliez pourtant pas d'acheter de la viande pour la demi-douzaine de chiens qui ne manqueront pas d'accompagner B.B; ce n'est pas sa faute s'ils sont carnivores.

Je vous laisse donc préparer leurs pâtées, songeur que vous êtes devant les contradictions inéluctables où s'enferme l'Homme obligé de manger...

Mais on ne peut quand même pas avaler des graviers ou du sable, d'autant plus qu'un jour on finira bien par découvrir qu'eux aussi ont une âme.

MENU A : LE PLUS SIMPLE

Salade de mesclun au pamplemousse

• Lavez et égouttez 250 g de mesclun. Épluchez 1 pample-mousse moyen (en enlevant bien le *blanc*). Séparez-le en quartiers.

• Disposez la moitié de ces quartiers autour d'une assiette et mettez la moitié du mesclun au centre. Même opération pour l'autre assiette.

Nappez d'une vinaigrette au vinaigre de framboises de préférence.

Gâteau de chou-fleur★★★ à la crème de ciboulette

1 petit chou-fleur, 1 grand pot de crème fraîche, 3 œufs, 1 paquet de ciboulette, sel, poivre.

• Faites cuire le chou-fleur à l'eau salée, égouttez-le, passez-le au four pour le sécher (3 minutes) et mixez-le.

• Incorporez à cette purée, les œufs entiers, et la crème fraîche. Assaisonnez et mélangez bien.

• Disposez le tout dans un moule à gâteau beurré et faites cuire au bain-marie dans le four (thermostat 4 ou 5), 30 minutes.

• Démoulez ce gâteau de légume et nappez-le de la sauce à la ciboulette suivante : 2 grosses cuillères de crème fraîche et 1/2 jus de citron pressé. Portez la crème à ébullition avec le jus de citron. Parsemez le gâteau de chou-fleur de ciboulette hachée.

Mousse de marrons glacée★★★

1/2 boîte de marrons au sirop, 1 gros pot de crème fraîche, 3 blancs d'œufs, 1 jus de citron.

- Retirez les marrons du sirop et faites une purée avec la moitié de ceux-ci.
- Fouettez la crème énergiquement.
- Montez les blancs en neige avec le jus de citron.
- Incorporez les blancs à la crème fouettée puis à la purée de marrons.
- Disposez cette mousse dans deux ramequins et mettez au congélateur pendant au moins 1 demi-heure.
- Démoulez au moment de servir sur 2 assiettes et versez le restant des marrons au sirop dessus.

Buisson de céleri frit sur laque de truffes***

200 g de céleri râpé, 1 petite boîte de jus de truffes, 1 petit verre de porto, 1 pincée de fécule, 2 branches de cerfeuil.

• Faites frire le céleri râpé jusqu'à ce qu'il soit doré, égouttez-le et salez-le. Réservez au chaud.
• Dans une petite casserole, faites réduire le verre de porto jusqu'à obtention d'un liquide sirupeux.
• Versez dessus le jus de truffes et 1 pincée de fécule. Fouettez énergiquement jusqu'à ébullition.
• Versez cette sauce dans les assiettes (moitié-moitié) et disposez le céleri frit en dôme, au centre. Décorez avec le cerfeuil en branche.

Pain de maïs soufflé***

1 boîte de maïs, 100 g de farine de maïs, 2 œufs, 50 g de gruyère râpé, 1 cuillère à café de beurre, 1 verre de lait, sel, poivre.

• Enduisez l'intérieur d'un moule à soufflé de beurre fondu. Saupoudrez les parois de farine.
• Dans un saladier, mettez la farine de maïs, incorporez 2 jaunes d'œufs et 1 verre de lait. Mélangez.
• Montez les 2 blancs en neige et incorporez-les doucement à la préparation précédente.
• Ajoutez le maïs et le gruyère râpé. Salez, poivrez.
• Versez cette pâte dans le moule et faites cuire 15 minutes au four à feu doux (thermostat 5 ou 6).

Pêches de vigne au vin de Sauternes***

4 pêches de vigne (pêches très rouges), 1/2 litre d'eau, 250 g de sucre en poudre, 2 verres de sauternes.

• Dans une petite casserole, faites un sirop avec 1/2 litre d'eau et le sucre. Laissez cuire 10 minutes à petite ébullition.

• Retirez la casserole du feu et plongez les 4 pêches de vigne entières dedans. Laissez-les pendant 5 minutes.

• Faites refroidir les pêches et retirez la peau de celles-ci (elle doit venir toute seule).

• Ajoutez au sirop froid les 2 verres de sauternes, remettez la casserole sur un feu vif pour obtenir un liquide sirupeux à la limite du caramel.

• Nappez chaque pêche de ce sirop réduit. Laissez refroidir dans un compotier et dégustez!

VOUS INVITEZ VOTRE « EX »
ET VOUS VOULEZ
LUI FAIRE REGRETTER
DE VOUS AVOIR QUITTÉ

Vous crevez d'envie de la revoir pour lui montrer combien vous l'avez oubliée.

Vous lui ferez croire qu'en ce moment, vous faites des tas de trucs passionnants comme apprendre l'espéranto ou préparer le rallye Paris-Dakar.

Un verre de whisky à la main, vous vous donnerez des attitudes « d'autre homme », d'adulte responsable surchargé de boulot qui ne met plus jamais les pieds dans un casino.

Vous lui montrerez des photos de vacances où vous êtes entouré de jolies filles bronzées, espérant perfidement qu'elle sera offensée de ce que vous puissiez vivre et respirer sans elle.

N'en rajoutez quand même pas trop dans la volubilité affable, vous qu'elle a vu dans des états pitoyables. Elle pourrait flairer la supercherie et se dire que vous êtes trop gai pour être heureux.

Si vous voulez réveiller en elle un soupçon de tendresse, ne serait-ce qu'un doute, gardez un petit air convalescent, c'est plus touchant.

Si, orgueilleux incorrigible, vous voulez jouer à l'homme parfait, faites-lui croire que maintenant vous savez aussi cuisiner, mais planquez ce livre au fond de la bibliothèque dès que vous l'entendrez sonner.

Moules au curry

Un pot de moules en conserve au naturel, 2 cuillères à soupe de crème fraîche, 1 pincée du curry, 1 pincée de ciboulette hachée, sel.

- Lavez les moules.
- Mettez la crème fraîche, la pincée de curry et un peu de poivre dans une casserole. Mélangez. Ajoutez-y les moules. Faites chauffer à feux doux, jusqu'à ce que la crème et les moules soient chaudes.
- Servez moitié-moitié dans chaque assiette et saupoudrez de ciboulette hachée.

Côtes d'agneau au beurre d'anchois

2 côtes d'agneau par personne, 6 filets d'anchois, 1 cuillère à soupe de beurre, poivre.

- Écrasez les filets d'anchois et mélangez-les avec le beurre. Poivrez.
- Tartinez vos côtes d'agneau sur chaque face et faites griller dans une poêle très légèrement huilée, 3 minutes de chaque côté.

Melons garnis (en été)

Coupez le haut de 2 petits melons (le chapeau). Évidez-les avec une petite cuillère en prenant soin de ne laisser aucun pépin. Garnissez l'intérieur avec des fruits en boîte parfumés au kirsch.

MENU B : LE PLUS TÉMÉRAIRE
Endives en corolle

• Lavez 2 grosses endives et enlevez les feuilles du dessus. Détachez une à une les feuilles en les séchant avec un torchon propre et disposez-les en corolle dans les deux assiettes. Gardez les cœurs que vous plantez au milieu de chaque assiettée en obélisque.
• Émiettez des noix sur les feuilles. Parsemez de raisins secs.
• Nappez de vinaigrette et ajoutez de l'estragon haché (en pot!).
• N'essayez pas l'été car il n'y a pas d'endives.

Bar flambé à l'anisette

1 bar de 800 g, 1 fenouil, sel, poivre, 1 filet d'anisette (Ricard ou pastis).

• Demandez à votre poissonnier un bar vidé et écaillé. Lavez-le, séchez-le, salez-le, poivrez-le, huilez-le. Dites-lui d'attendre.
• Lavez 1 fenouil et mettez-le dans une petite casserole contenant 1/2 litre d'eau et 1 jus de citron, faites bouillir (10 minutes) à feu doux.
• Revenez à votre poisson. Mettez 1 branche de fenouil à l'intérieur et faites le griller 10 minutes de chaque côté.
• Quand le poisson est cuit ainsi que le fenouil, disposez le tout sur un plat chaud et arrosez d'anisette (quelques gouttes). Flambez au moment de servir. Bonjour la frime!

Ananas à la noix de coco

● Dans un saladier, versez 1 grand pot de crème fraîche. Incorporez-y 50 g de noix de coco râpée et 1 filet de rhum blanc, 1 pincée de sucre. Fouettez très fort.
● Coupez l'ananas (moyen) en tranches fines et incorporez-le à la crème. Mettez dans le bas du réfrigérateur une demi-heure.

OSCAR EST UN MUFLE

Qu'il monte le premier dans sa voiture pour vous ouvrir la porte de l'intérieur alors que vous attendez sous la pluie, c'est un détail.

Qu'il entre dans les restaurants sans se retourner pour voir si vous n'êtes pas coincée derrière lui dans les portes à tambours, passons.

Qu'il aille à un match de boxe avec des copains le soir de votre anniversaire, bof, si c'est sa passion...

Oscar est un mufle, mais il a des excuses...

Bourreau de travail et victime de son ambition, il s'est fait tout seul, alors il n'a pas eu le temps de fignoler la finition.

Et vous, vous êtes là parmi ses plantes, compagne modèle (c'est-à-dire transparente). Comment voulez-vous qu'il vous voie, comment voulez-vous qu'il vous entende? Vous parlez si bas de peur de réveiller tous ces rêves qui dorment et constellent vos nuits de milliards de secrets.

Vous vous dites qu'après tout cet homme-là est fidèle, même s'il ne vous a jamais emmenée plus haut que le sixième ciel. Grâce à lui, vous êtes à l'abri des lendemains qui déchantent. Alors, Pénélope, moins par vertu que par prudence, vous préférez cette vie interdite d'orgasme aux torrents de passion qui finissent à la mer.

Mais l'amour, ce n'est pas forcément fromage ou dessert.

Si un de ces soirs l'envie vous prend de secouer Oscar, essayez ces plats épicés qui, au mieux, réveilleront ses désirs ou l'obligeront à vous parler, au pire.

Œufs érotiques

2 œufs, 2 tranches de jambon, 1 noix de beurre, 50 g de sucre en poudre, 1 fond d'eau.

• Dans une poêle beurrée, faites cuire les tranches de jambon.

• Pendant ce temps, dans une casserole, préparez un caramel blond avec 10 g de sucre et un fond d'eau.

• Nappez les tranches de jambon avec ce caramel et cassez les œufs dessus. Laissez à feu modéré 5 minutes.

Rôti sauce piquante

Sauce : 1 livre de tomates, 1 oignon, 2 feuilles de laurier, 2 branches de céleri, 2 poireaux, 1 clou de girofle, 1 pincée de poivre de Cayenne.

• Lavez soigneusement les poireaux et faites-les cuire.

• Pelez les tomates et écrasez-les.

• Épluchez l'oignon, coupez-le en rondelles et faites-le dorer dans une casserole.

• Ajoutez les tomates à l'oignon blondi, puis les poireaux cuits, les 2 branches de céleri lavées, le clou de girofle, le laurier. Poivrez et laissez mijoter 15 minutes. Il faut que cette sauce diminue en volume.

Broyez le tout et nappez un petit rôti de bœuf de cette sauce.

Escalopes de veau explosives

2 poignées de riz, 2 piments, 1 oignon, 1/2 gousse d'ail, 1 tasse de bouillon de bœuf, 1 bonne cuillère à soupe de crème fraîche, persil, sel, poivre.

• Hachez l'oignon, le persil, l'ail et le piment.
• Dans un faitout, faites chauffer un fond d'huile. Quand il est très chaud, jetez-y le riz, l'oignon, l'ail, le persil et le piment hachés. Remuez. Ajoutez le bouillon de bœuf. Poivrez. Laissez mijoter environ 15 minutes. Ajoutez la crème fraîche en fin de cuisson. Nappez 2 belles escalopes de veau avec cette sauce faite pour réveiller les mufles comme Oscar.

Sucettes de porc

Sauce : 4 filets d'anchois, 2 cornichons, 1 lamelle de piment rouge, 1 goutte de tabasco, 1 noix de beurre.

• Écrasez le piment, les anchois et les cornichons.
• Dans une casserole contenant une noix de beurre, versez cette pommade et faites cuire à feu doux. Remuez et ajoutez le tabasco. Mouillez avec un filet d'eau si la sauce attache.
• Faites cuire 2 côtes de porc coupées en lamelles et nappez-les avec la sauce précédente.
• Au moment de servir, plantez un bâtonnet de bois dans chaque lamelle de porc pour faire des sucettes (interdites au moins de 18 ans).

Saint-pierre à la Lucifer ★★★

2 filets de saint-pierre (extra), 1 piment-oiseau, 1 échalote, 1 verre de vin blanc sec, 1 cuillère à dessert de vieux rhum, beurre, sel, poivre.

- Hachez très finement le piment-oiseau (Cayenne) et faites-le fondre avec 2 cuillères de beurre, l'échalote émincée, le verre de vin blanc et la cuillère à dessert de vieux rhum. Salez, poivrez.
- Poêlez les filets de saint-pierre (3 minutes de chaque côté à feu doux) et disposez-les dans un plat de présentation. Nappez-les avec le beurre fondu et ses ingrédients.
Vous pouvez accompagner ce poisson avec des bananes vertes sautées salées et poivrées.

MENUS RÉCONCILIATION
POUR COUPLES BOUDEURS

Albatros égaré dans le labyrinthe des villes, Guillaume a la bohème tenace et le mûrissement difficile.

Vivre avec lui, c'est tout un poème; il plane sur son nuage par n'importe quel temps, se trompe toujours d'heure, de quai, de rendez-vous et quand il remet les pieds sur terre, c'est généralement dans une flaque de boue.

D'accord, il a fait sauter tous les plombs et a oublié d'appeler l'électricien, d'accord il met ses stylos dans le lave-vaisselle et vous fait vivre au milieu des cartons; vous n'allez quand même pas faire vos valises pour si peu!

La scène d'adieu pour de sordides détails domestiques, ça n'a rien de pathétique.

Vous saviez bien avant de l'épouser qu'il n'était pas parfait, vous n'espériez quand même pas le changer!

Si vous cessiez de bouder?

Vous avez l'air malin de faire lit à part mais nuit ensemble. Vous ne voyez pas qu'il se demande : « Est-ce qu'elle dort? Pourquoi ne vient-elle pas me chercher? »

Et vous, est-ce bien raisonnable de tremper des biscuits dans un yaourt à la fraise en attendant que le petit jour se lève?

Ça va faire trois jours que vous ne vous adressez pas la parole, chacun restant coincé dans son mutisme sans pouvoir faire le premier pas.

COMMENT RACCROCHER LES WAGONS?

Puisqu'il n'a pas assez de générosité pour vous amener au restaurant, ni assez d'humour pour vous prendre dans ses bras en éclatant de rire, demain soir, dites-le avec des plats si les mots ne passent pas.

MENU A : LE PLUS 2ᵉ DEGRÉ

Mousse d'avocats

2 avocats, 1/2 citron pressé, 1 jaune d'œuf, 1 filet de cognac, 1 pointe d'ail, piment, sel, poivre.

• Coupez les avocats en morceaux et mettez-les avec tous les ingrédients ci-dessus dans un mixer.
• Dans 2 petits ramequins, disposez un peu de laitue hachée et remplissez-les avec la mousse d'avocats. Décorez avec une crevette décortiquée et conservez au réfrigérateur 1 heure.
• Servez avec du pain grillé.

Boudin aux œufs brouillés

4 œufs, 1 cuillère à café d'huile, 2 boudins, 1 filet de calva, sel, poivre, mie de pain.

• Faites cuire les boudins dans une poêle chaude huilée; quand ils commencent à s'ouvrir, ajoutez sur chacun d'eux un filet de calva. Laissez encore cuire à feu moyen 5 minutes.
• Enlevez la peau et émiettez le boudin dans une assiette, mélangez-le avec un peu de mie de pain mouillée et un œuf battu. Salez. Poivrez et faites des boulettes.
• Mettez ces boulettes dans un plat creux beurré pouvant aller au four.
• Battez les trois autres œufs en omelette. Salez, poivrez et versez-les sur les boulettes de boudin.
• Mettez votre plat au four (thermostat 6) et remuez les œufs de temps à autre pour qu'ils ne forment pas une omelette compacte. Il faut que le mélange soit onctueux.

Conversations

- Faites une pâte brisée et mettez cette pâte découpée dans des petits moules beurrés.
- Piquez le fond de la pâte avec une fourchette et remplissez les barquettes de crème frangipane. Recouvrez-les d'une fine rondelle de pâte brisée, étalez dessus un soupçon de glace royale et croisez des bandelettes de pâte beurrée. Faites cuire à four chaud (thermostat 7), 15 minutes.
- Recette de Pellaprat : la pâtisserie pratique.

MENU B : LE PLUS TOUCHANT

Promesses en marguerites★★★

1 navet d'or, 4 filets de sole, 1 petit pot de crème fraîche, vinaigre de cidre, ciboulette entière, sel, poivre.

• Épluchez le navet, coupez-le en lamelles très fines et faites-le sauter dans une poêle légèrement beurrée, à feu très doux, 10 minutes.

• Découpez chaque filet de sole dans le sens de la longueur pour obtenir des losanges, salez, poivrez.

• Disposez ces losanges dans le panier à vapeur de votre cocotte minute avec un jet de vinaigre de cidre et faites cuire 3 minutes.

• Faites bouillir le petit pot de crème salée et poivrée avec un filet de vinaigre de cidre. Réservez au chaud.

• Disposez vos lamelles de navet sauté au centre de chaque assiette et autour les filets de sole en forme de pétales. Nappez ceux-ci avec la crème.

• Faites partir du centre de chaque assiette 2 branches de ciboulette jusqu'au rebord et vous obtiendrez la marguerite, à vous de savoir l'effeuiller.

Filets mignons★★★

500 g de filet mignon de veau, 1 jus de citron, 2 cuillères à soupe de beurre, carottes, basilic, sel, poivre.

• Coupez le filet mignon en 8 tranches épaisses. Salez et poivrez chaque tranche. Laissez-les macérer 2 heures dans le jus de citron.

• Poêlez les filets mignons et réservez-les au chaud.

• Versez la marinade (c'est-à-dire le jus de citron) dans une casserole, ajoutez-y 2 cuillères à soupe de beurre. Faites bouillir à feux doux et parsemez de basilic, frais de préférence.

• Nappez vos filets avec cette sauce et accompagnez-les de carottes préalablement cuites à l'eau et sautées au beurre.

Rêve d'amour ★★★

Faites une crème anglaise : 6 jaunes d'œufs, 125 g de sucre en poudre, 1/2 gousse de vanille, 1/2 litre de lait.

• Mélangez le sucre et les jaunes d'œufs, fouettez très fort, 3 à 4 minutes.

• Versez dessus le lait bouilli, mélangez le tout et laissez cuire à feu doux en remuant avec une cuillère de bois pour que le mélange épaississe.

• Mettez un crémé d'Anjou (petit fromage tendre en forme de cœur) dans chaque assiette et nappez-le avec la crème anglaise froide. Décorez avec quelques grains de café.

III

3 PERSONNES

Quand on est trois autour d'une table, c'est généralement qu'il y a quelqu'un en trop ou quelqu'un en moins.

Les relations à trois sont subtiles et délicates, à vous de brouiller les cartes en invitant l'imagination comme quatrième convive.

VOUS VOULEZ MYSTIFIER
VOTRE FUTURE BELLE-MÈRE

Vous sentez qu'avec votre future belle-maman, ça ne va pas être de la tarte. Elle avait rêvé pour son fils d'une épouse idéale : un panaché de Sissi, Margareth Thatcher et Grace Kelly; une femme soignée, de bonne éducation, catholique de préférence, les pieds sur terre, bonne pondeuse, pour que la race des Duchemin continue à donner des premiers de la classe à la France pendant plusieurs générations.

Vous n'êtes pas vraiment la copie conforme de ce portrait-robot. Dans ce cas, il y a trois solutions :
1) Rentrer dans le chou de belle-maman si elle vous cherche et en rajouter dans le laisser-aller. Mais vous obligerez son fils à la voir en catimini. Réservez cette solution pour plus tard, en cas d'asphyxie totale.
2) Rester vous-même et l'amener doucement à se défaire de ses préjugés. Si vous en avez la patience, chapeau!
3) La mystifier en lui faisant croire que sous vos allures bohèmes, vous êtes une parfaite femme d'intérieur. Faites un semblant de ménage (de toute façon, elle trouvera une poussière mal placée). Planquez le linge sale quelque part. Empruntez un fer à repasser aux voisins, sortez une boîte à couture et mettez-les bien en évidence.

Et maintenant, voici des plats pour lui faire avaler la pilule...

Minestrone

Achetez des légumes surgelés : haricots verts, haricots rouges, flageolets, petits pois, etc... Le mieux étant de prendre un paquet de jardinière de légumes surgelés, 1 oignon, 1 tablette de bouillon, 1 boîte de haricots, cerfeuil, sel, poivre, une pincée de vermicelle.

• Plongez votre bloc de légumes surgelés dans 1 litre d'eau bouillante salée, le temps qu'ils soient bien détachés.
• Épluchez et émincez l'oignon. Faites-le dorer dans un faitout huilé.
• Versez sur les lamelles d'oignon dorées 3/4 de litre d'eau et le bouillon. Portez à ébullition.
• Versez la jardinière de légumes égouttée dans le faitout. A la nouvelle ébullition vous ajouterez les haricots également égouttés et les vermicelles. Laissez cuire 10 minutes à feu doux et servez en parsemant de cerfeuil haché.

Pâtes au pistou

250 g de spaghetti ou de tagliatelles, 1 gousse d'ail, 1 poignée de pignons, 2 branches de basilic, 25 g de parmesan, 2 bonnes cuillères à soupe d'huile d'olive, sel, poivre.

• Pelez et coupez la gousse d'ail grossièrement.
• Mettez-la dans un récipient avec le parmesan et une pincée de sel. Ajoutez le basilic et mixez le tout en ajoutant peu à peu l'huile d'olive. Vous devez obtenir une mousse.

• Dans un grand faitout contenant 1 litre et demi d'eau salée (pas trop) bouillante, faites cuire vos pâtes à feu moyen. Vérifiez la cuisson en attrapant une de celles-ci au hasard.
• Faites chauffer très légèrement la crème de pistou à feu doux.
• Égouttez vos pâtes. Mettez-les dans un plat de présentation et nappez-les avec la sauce. Ajoutez une noix de beurre si nécessaire.

Tartelettes minute

• Achetez des fonds de tarte tout faits. Libre à vous de faire croire que vous les avez vous-même confectionnés.
• Achetez une petite boîte de crème de marrons, ajoutez-y un blanc d'œuf battu en neige. Mélangez.
• Mettez à four doux 5 minutes et placez deux tranches de fruit frais à la sortie du four (du kiwi par exemple).

MENU B : LE PLUS HYPOCRITE

Gâteau de saumon

2 boîtes de saumon socra, 1 jaune d'œuf, 1 petit pot de crème fraîche, 2 tranches de pain de mie, 1 filet de cognac, sel, poivre.

- Mettez les tranches de pain de mie à mariner 1 heure avec la crème fraîche, le jaune d'œuf, le filet de cognac, le sel et le poivre préalablement mélangés.
- Épluchez le saumon, mixez-le et mélangez-le avec la préparation précédente.
- Mettez le tout dans un moule à cake ou un moule à gratin. Recouvrez de papier aluminium et faites cuire au bain-marie à four moyen (thermostat 6 ou 7), 45 minutes. Servez avec une mayonnaise.

Poisson aurore

3 filets de merlan, 3 tomates, 2 échalotes, 1 pot de crème fraîche, sel, poivre.

- Coupez le poisson (au choix) en morceaux.
- Hachez les échalotes et les tomates fraîches. Faites-les revenir dans une poêle.
- Dans une autre poêle, faites revenir les morceaux de poisson avec du beurre et ajoutez-y les tomates et les échalotes.
- Au moment de servir, liez le tout avec de la crème fraîche.

108

Crème de framboises

1 grand pot de fromage blanc, 2 cuillères à soupe de crème fraîche, 2 cuillères à soupe de sucre, 1 pincée de vanille en poudre, 1 petite boîte de framboises au sirop.

- Fouettez énergiquement le fromage blanc et la crème fraîche.
- Quand le mélange est onctueux, ajoutez la vanille, un filet de Grand Marnier et la valeur de 3/4 de boîte de framboises au sirop écrasées en purée. Fouettez à nouveau.
- Remplissez 3 coupes avec cette crème et décorez le dessus avec le restant de framboises.
- Mettez au réfrigérateur au moins 1 heure.

VOUS ÊTES LÂCHE
ET ÇA VOUS COMPLIQUE LA VIE

Vous passez votre temps à fuir des situations que vous avez vous-même provoquées et cela vous demande beaucoup plus d'énergie que si vous aviez du courage.

On ne clamera jamais assez fort l'héroïsme obscur du lâche ayant peur de l'eau qui dort, du jour qui s'éveille, du passant qui va le bousculer, de l'auto qui va le renverser, peur de faire mal, peur de donner, peur d'aimer, peur d'oublier.

Il porte sur ses épaules le lourd fardeau de son inaction, dans sa tête le poids terrible de ses remords et dans son cœur la plaie béante de ses mensonges. Sa vie pourrait être un calvaire, mais bien pis, le lâche se réveille chaque jour avec l'affreuse sensation qu'il lui faudra choisir entre deux chemins de croix et généralement, il en prend un troisième.

Je sais bien que vous n'en n'êtes pas à ce stade extrême de lâcheté, mais on m'a dit qu'il vous arrivait assez souvent de faire l'autruche en attendant que la frénésie du monde cesse et que l'imbroglio où vous êtes noyé s'évapore. Tenez, ce soir encore, vous aviez invité Martine et Joël à dîner et tout à coup, vous n'avez plus envie de les voir. Vous préféreriez vous retrouver seul devant votre plateau télé.

Vous avez essayé de les appeler. Trop tard. Impossible de les décommander. Que faire? Mettre un mot sur la porte du genre : « Suis parti à l'hôpital voir ma mère souffrante »?

Allons, allons! C'est une excuse de lycéens qui eux n'hésitent pas à enterrer cinq fois leurs grand-mères dans l'année quand ils veulent sécher les cours.

Toute l'énergie que vous allez devoir puiser en vous pour mentir, utilisez-la pour préparer un repas simple et coloré.

Mousse de jambon

2 tranches de jambon, 1 tasse à café de béchamel, 1 cuillère à soupe de crème fraîche, 1 cuillère à soupe de concentré de tomate, 1 œuf, sel, poivre.

• Passez le jambon au mixer.

• Dans un récipient, mélangez ce hachis avec la béchamel (voir table des recettes), le concentré de tomates, la crème fraîche et l'œuf. Salez, poivrez.

• Versez le tout dans un ramequin beurré et laissez-le dans un premier temps 1/2 heure au congélateur puis au réfrigérateur au moins une heure

Spaghetti fermiers

• Regardez dans votre réfrigérateur ou sur le rebord de la fenêtre. S'il vous reste des fromages entamés : gruyère, roquefort, reblochon, cantal etc. Retirez les croûtes et coupez les fromages en cubes.

• Mettez ces cubes ensemble dans une casserole avec une noix de beurre équivalant à leur volume. Ajoutez du poivre si ce sont des fromages doux. Faites fondre ce mélange doucement en remuant. Ajoutez une cuillère à soupe de crème fraîche.

• Vous mettrez vos spaghetti égouttés dans cette sauce aux fromages et vous les laisserez sur le feu 2 minutes en mélangeant bien.

Servez avec un petit bol de parmesan si ce n'est pas trop vous demander.

Tôt fait

2 tasses de farine, 1 tasse de lait, 1 tasse de sucre en poudre, 1 sachet de levure, raisins secs, éventuellement écorce de citron râpée.

Mélangez tous ces ingrédients dans un récipient. Quand le mélange est homogène, versez-le dans un moule à cake beurré, et laissez cuire 45 minutes à feu doux (four, thermostat 5 ou 6).

MENU B : TOUT ROSE

Salade camaïeu

200 g de salade de Trévise, 1 petite botte de radis roses, 2 tomates, 1 poivron rouge, vinaigrette, sel, poivre, une noix de beurre, 1 pincée de paprika, toasts.

- Lavez et épluchez la salade de Trévise et le poivron.
- Lavez et épluchez les radis. Coupez les tomates en rondelles et les poivrons en lamelles.
- Dans un saladier, mettez la salade de Trévise, le poivron et les tomates. Nappez de vinaigrette. Mélangez.
- Décorez le dessus avec les radis coupés en deux.
- Mettez à part un petit pot de beurre mélangé avec une pincée de paprika et servez avec des toasts grillés.

Côtes de veau à la purée rose

3 côtes de veau, 4 grosses pommes de terre, 6 carottes, 1/2 verre de lait, une noix de beurre, 2 cuillères à soupe de crème fraîche, 1 pincée de muscade, sel, poivre.

- Dans une casserole contenant de l'eau, faites cuire vos pommes de terre. Une fois bouillies, épluchez-les et écrasez-les en purée. Réservez-les.
- Dans une autre casserole d'eau salée, faites cuire vos carottes préalablement épluchées et lavées. Une fois cuites, écrasez-les et mélangez-les avec la purée de pommes de terre. Ajoutez 1/2 verre de lait, une noix de beurre. Salez, poivrez, muscadez. Réservez au chaud.
- Faites griller vos côtes de veau salées et poivrées à feu moyen, 6 à 7 minutes de chaque côté.
- Nappez-les, hors feu, avec la crème fraîche et servez la viande et la purée rose séparément.

Semoule aux cerises confites

3/4 de litre de lait, 5 cuillères à soupe de semoule de blé, 6 pincées de sucre, 1 blanc d'œuf battu en neige, 1 cuillère à soupe de confiture de cerises, 1 filet de Grand Marnier, cerises confites.

- Dans une casserole, mettez le lait, la semoule, 3 pincées de sucre en poudre. Portez à ébullition en mélangeant avec une spatule de bois de temps à autre.
- Dans une autre casserole, faites fondre 3 pincées de sucre en poudre dans un peu d'eau, ajoutez-y le filet de Grand Marnier et une cuillère à soupe de confiture de cerises. Mélangez en laissant cuire à feu très doux 3 minutes.

- Battez le blanc en neige.
- Quand la semoule est cuite, ajoutez-y le sirop à la confiture, le blanc battu ainsi que des cerises confites. Mélangez.
- Versez dans un moule et laissez refroidir.

VOUS ÊTES UN IMBÉCILE
ET VOUS VOULEZ LE CACHER

Si vous vous en rendez compte, c'est peut-être que vous ne l'êtes qu'à moitié, ou alors par moments, comme tout un chacun l'est.

Votre petite amie a invité son copain de fac, mais les maths spatiales et vous ça fait deux. Vous craignez qu'ils ne parlent toute la soirée en hébreu.

Rassurez-vous, les gens autour d'une table discutent généralement de « bouffe ». Ils le font d'ailleurs avec une aimable goujaterie, vantant les mérites d'un restaurant formidable pendant qu'ils engloutissent sans broncher ce que vous leur avez servi.

Toutefois si vous voulez empêcher les deux intellos de partir dans des conversations nébuleuses, apprenez quelques anecdotes concernant les plats que vous aurez préparés.

Connaissez-vous par exemple l'origine de la mayonnaise, des pommes soufflées, et de la margarine.

Sans assommer pendant tout le repas vos invités avec votre culture toute fraîche et, disons-le, assez sommaire, vous pouvez profiter du moment où ils parleront inévitablement de nourritures terrestres pour prononcer une phrase énigmatique du style : « Ah, ce Velpeau * quel génie! ».

Si vous n'avez pas beaucoup de mémoire (personne n'est parfait) réfugiez-vous dans le silence, abri précaire bien que providentiel et n'en sortez pas, même pour dire : « passe-moi le sel ».

* Voir annexes

115

MENU A : POUR PARLER

Œufs durs mayonnaise *

Pour obtenir des œufs durs, faites-les cuire 6 minutes dans l'eau bouillante.
Pour la mayonnaise, séparez le blanc du jaune d'œuf. Mettez ce dernier dans un bol avec une cuillère à café de moutarde. Une pincée de sel et de poivre. Ajoutez l'huile tout doucement en battant énergiquement (au robot c'est quand même plus simple) ajoutez un filet de vinaigre à la fin.

Poulet-frites *

Brie Saint-Amant *

* Voir Annexes.

116

MENU B : POUR RESTER SILENCIEUX

Endives à la belge

3 grosses endives, pâte à crêpes.

• Préparez une pâte à crêpes (voir table des recettes) en remplaçant le lait par de la bière.
• Faites blanchir les endives, préalablement lavées, dans une casserole d'eau bouillante salée.
• Égouttez bien les endives et trempez-les dans la pâte à crêpes pour les enrober entièrement.
• Faites-les frire dans une poêle très bien huilée et très chaude.

Gratin d'andouille de Vire

4 grosses tranches d'andouille de 3 cm d'épaisseur, 4 pommes de terre, 1 verre de lait, 1 oignon, 1 pincée de muscade, 1 branche de persil, sel, poivre.

• Épluchez et émincez l'oignon et faites-le revenir dans une petite poêle chaude. Hachez le persil.
• Broyez l'andouille après avoir enlevé la peau et mélangez-la à l'oignon et au persil.
• Préparez votre purée avec le lait et ajoutez-y une pincée de muscade, une pincée de poivre et une infime pincée de sel.
• Mettez une couche de purée dans un plat à gratin puis la farce à l'andouille; recouvrez d'une couche de purée et saupoudrez de gruyère ou de chapelure avec une noix de beurre. Mettez à four chaud (thermostat 8) le temps que la surface soit dorée.

Bananes à la bêtise de Cambrai

3 bananes, 100 g de bêtise concassée, rhum.

● Coupez les bananes en deux. Citronnez-les légèrement.
● Concassez la bêtise dans un mortier.
● Beurrez un plat allant au four, disposez les bananes, saupoudrez-les de bêtise. Passez au four très chaud (thermostat 8 ou 9), pendant 5 à 6 minutes.
Laissez caraméliser légèrement et flamber au moment de servir avec un verre de rhum.

VOUS VIVEZ AVEC UN GÉNIE

Bernard est un artiste échevelé, une vraie machine à idées. Il rêve de peindre une fresque sur la muraille de Chine, il en a d'ailleurs fait une en miniature qu'il a ébauchée sur le mur du salon. Il a inventé le réveil dont les aiguilles tournent dans le sens contraire des aiguilles d'une montre, des pare-brise en verre correcteur pour conducteurs myopes, presbytes ou astigmates, etc... Son atelier est jonché de dessins, de croquis, de carcasses, de couleurs de toutes sortes.

Le revers du génie, c'est vous qui le vivez. Même si vous êtes plus enthousiaste encore que lui, le soutenant maternellement jusque dans ses moments de déprime, il vous arrive de vous arracher les cheveux. Quand il vous téléphone qu'il rentre à huit heures et qu'à minuit il n'est toujours pas là par exemple. Quand, sans prévenir, il débarque avec deux ou trois copains de délire, ou qu'il ne rentre pas du tout.

Inutile de vous casser la tête à préparer des plats compliqués. Il parle tellement en mangeant, qu'il avalerait n'importe quoi. La gastronomie, c'est pas son truc. Mais à vivre de sandwiches et de café, il finit par avoir une mine épouvantable. Sans chercher à l'initier aux plaisirs de la table, ayez toujours à l'esprit, quand vous ferez votre marché, qu'avec lui tout peut arriver.

Voici donc des suggestions de préparations rapides ou à congeler qui peuvent être servies indifféremment pour deux, trois ou quatre personnes et être resservies froides le lendemain au cas où il vous aurait posé un lapin.

VITE CONGELÉS ET VITE DÉCONGELÉS :

Croquettes de saumon

200 g de saumon frais, 2 œufs, 400 g de purée de pommes de terre, 1 petit oignon, 2 rondelles de citron, 1 feuille de laurier, 1 pincée de chapelure, cerfeuil et persil hachés, sel, poivre.

• Dans une casserole contenant 1/2 litre d'eau, mettez l'oignon coupé en rondelles, les 2 rondelles de citron et la feuille de laurier.
• Quand l'eau frémit, ajoutez le saumon et laissez cuire à feu doux 15 minutes.
• Broyez le saumon en enlevant les arêtes et la peau.
• Préparez votre purée de pommes de terre avec un peu de lait.
• Mélangez-la à la purée de saumon. Ajoutez 1 des deux œufs. Le cerfeuil et le persil hachés. Mélangez bien.
• Formez des croquettes avec cette pâte trempez-les dans le second œuf battu dans un bol, puis dans la chapelure.
• Faites congeler les croquettes recouvertes de papier aluminium.
• Vous les servirez au moment opportun en les faisant dorer 10 minutes (5 minutes de chaque côté) dans une poêle beurrée. Durée de conservation : 1 mois.

Polenta paysanne

1 paquet et demi de farine de maïs = 400 g, 100 g de jambon, 100 g chair à saucisse, 100 g de roquefort, 1/2 l de lait, une noix de beurre, 1/2 verre d'huile, pincée de thym, pincée de sel, Sauge.

• Dans une terrine, mélangez le jambon hâché, la chair à Saucisse, la sauge et le thym.

- Mélangez le roquefort et la noix de beurre.
- Dans une grande casserole, portez un litre d'eau additionnée du lait à ébullition.
- Plongez la farine de maïs dans une casserole 2 mn.
- Hors du feu, laissez gonfler 5 mn.
- Ajoutez les mélanges de viande et de roquefort à la polenta gonflée. Mélangez énergiquement.
- Remettez le tout à chauffer à feu doux un bon 1/4 d'heure en ajoutant l'huile peu à peu, et sans cesser de remuer la pâte.
- Laissez refroidir. Mettez au congélateur. Décongèle en 1/2 heure.

Mousse aux fraises

50 g de fraises, un petit pot de crème fraîche, 100 g de sucre en poudre, 2 cuillères à soupe de liqueur (kirsch, Cointreau ou Grand Marnier).

- Lavez et égouttez les fraises, passez-les au mixer.
- Fouettez la crème fraîche et ajoutez-y doucement le sucre, puis la purée de fraises, puis un filet de liqueur.
- Versez cette mousse dans des ramequins individuels recouverts de papier aluminium et faites congeler.
- Sortez-les du congélateur au moins deux heures et demie avant de les servir. Mettez-les au bas du réfrigérateur dès que votre génie de mari vous prévient qu'il arrive avec ses copains.

Tortilla

5 œufs, 1 livre de pommes de terre (3 environ), une noix de beurre, sel, poivre.

- Faites cuire les pommes de terre à l'eau, épluchez-les et taillez-les en cubes.
- Battez les œufs comme pour omelette. Salez, poivrez et ajoutez les pommes de terre.
- Versez ce mélange dans une poêle chaude. Vous me direz que jusqu'ici, il s'agit d'une omelette aux pommes de terre mais...
- Dès que l'omelette est prise, mettez-la au four chaud ouvert dans la poêle environ 3 minutes et sous le grill du même four, juste le temps de dorer la surface. Cette spécialité espagnole peut se servir chaude ou froide accompagnée de jambonneau coupé en cubes éventuellement.

Fricassée d'escalopes au riz

2 escalopes pour 3 personnes, 1 grand pot de crème fraîche, 1 filet de cognac, 2 jaunes d'œuf, 1 cuillère à café de moutarde, 200 g de champignons de Paris en boîte, 250 g de riz, sel, poivre.

- Jetez le riz dans de l'eau bouillante salée et laissez cuire jusqu'à absorption de l'eau.
- Pendant ce temps-là, lavez et égouttez les champignons et coupez les escalopes de veau en petits carrés. Salez et poivrez-les.

- Dans un bol, mélangez la crème fraîche et la moutarde.
- Faites cuire vos carrés d'escalopes dans une poêle beurrée et flambez-les au cognac, hors du feu. Ajoutez les champignons pour les réchauffer ainsi que le mélange crème-moutarde.
- Disposez votre riz en forme de boule au centre du plat de présentation. Plaquez vos carrés d'escalopes dessus ainsi que les champignons et nappez avec la sauce.

Spaghetti au beurre d'escargots

250 g de spaghetti, 150 g de beurre, 3 branches de persil haché, 2 échalotes, 1/2 gousse d'ail, sel, poivre.

- Faites cuire vos spaghetti 8 minutes.
- Pendant ce temps malaxez le beurre avec l'ail, l'échalote et le persil haché. Salez. Poivrez.
- Faites fondre très légèrement ce beurre dans une petite casserole et mélangez-le aux spaghetti égouttés.

MENU DE SECOURS
POUR FEMMES À LA BOURRE
(à conserver dans votre boîte à gants)

Énervée par les embouteillages, vous avez voulu prendre des risques. Un coup de sifflet républicain vous a rappelé qu'il est interdit de rouler sur les trottoirs.

Pendant que l'agent de police vérifie avec un zèle sadique l'état de vos pneus et qu'il demande à un passant un stylo qui marche pour pouvoir vous verbaliser en bonne et due forme, vous pleurez de rage. Pourquoi faut-il que cela vous arrive le soir où vous avez chez vous un dîner très important dont la promotion de votre mari dépend! Que va penser ce monsieur Smith, V.I.P. austère et ponctuel, quand il vous rencontrera inévitablement devant votre porte avec tous vos paquets, les cheveux en bouquet de pétards et le talon cassé?

Il va probablement se dire que la France est un joyeux pays de dilettantes mais que pour les affaires c'est décidément risqué. Votre mari qui attend depuis des années cette occasion de grimper au firmament social va sûrement vous étrangler.

Arrêtez ce film qui se déroule en négatif dans votre tête et ne faites pas cette bobine!

Au lieu de jeter des regards assassins au pauvre représentant des forces de l'ordre qui n'a pour affirmer son identité que le recours de vérifier celle des autres, décochez-lui un sourire naïf et désespéré, les choses iront plus vite.

Inutile de courir chez Fauchon pendant qu'il lorgne vos papiers puisque vous avez oublié votre carnet de chèques, et de toute façon il pleut à torrents.

Pas de panique! Avec un peu de chance vous serez à huit heures moins dix chez vous. Votre invité arrive à huit heures trente. Pas de problème!

124

Œufs composés

Préparation : 5 minutes.
Par personne : 1 œuf, 1 cuillère à soupe de crème fraîche, 1 pincée de cannelle, 1 petite pincée de poivre, 1 petite pincée de sel, la valeur d'une cuillère à café d'œufs de lump rouges.

Dans chaque ramequin (petit pot en verre), versez de la crème fraîche. Cassez un œuf bien frais dessus. Salez. Poivrez. Muscadez. Émiettez les œufs de lump, et passez à four vif 10 minutes. Servez très chaud accompagné de toasts.

Poulet à l'aubergine

Préparation : 10 minutes.
1 poulet, 3 aubergines, 2 verres de vin blanc sec, 1/2 tablette de bouillon de volaille, sel, poivre.

• Faites découper le poulet en morceaux par votre boucher.
• Faites revenir les morceaux dans une cocotte beurrée.
• Faites revenir les 3 aubergines épluchées et coupées en rondelles dans une poêle beurrée.
• Ajoutez-les aux morceaux de poulet, recouvrez des 2 verres de vin blanc. Ajoutez 1/2 tablette de bouillon de volaille. Salez, poivrez. Laissez mijoter 3/4 d'heure.

125

Glace à la compote

Préparation : 1 minute

Achetez une glace créole de préférence et nappez-la de deux cuillères à soupe de compote en boîte avant de la placer au réfrigérateur. Fameux!

Il vous reste 15 mn pour prendre un bain, vous sécher les cheveux, vous maquiller et mettre le couvert. Pour l'ourlet de la jupe, ce sera peut-être un peu juste.

VOTRE MARI VOUS TROMPE
AVEC VOTRE MEILLEURE AMIE
(ET RÉCIPROQUEMENT)
ELLE VIENT JUSTEMENT
DÎNER CE SOIR

Ce grand cachottier avait porté son smoking un peu trop parfumé au nettoyage, oubliant dans une poche un mot compromettant. La dame du pressing vient de vous le remettre « gentiment ».

Le cœur retourné et la rage au ventre, vous fouillez ses placards, son courrier et son agenda pour trouver d'autres indices. Mais rien. Il n'y a rien d'autre que ce bout de papier délavé, preuve pas forcément indélébile d'un simple « moment d'égarement ».

Relisez Feydeau, Roussin ou Labiche et vous verrez que votre drame est d'un conventionnel navrant.

Les hommes (surtout quand leurs tempes grisonnent) sont, c'est bien connu, la proie innocente des démons de midi, à moins que dans votre couple, pourtant à faibles risques, le microbe du temps n'ait grippé la folie.

Votre stupéfaction passée, votre pouls revenu à un rythme un peu plus naturel, vous ruminez pourtant une terrible vengeance.

Alors, selon que vous êtes mesquine ou intelligente, voici deux menus adéquats (mais les plats ci-après ne se mangent pas forcément froids).

MENU A : MENU MESQUIN

Foie de morue sur canapé
(cherchez l'allusion...)

1 boîte de foie de morue, 1 petite boîte d'épinards hachés, 2 cuillères à soupe de crème fraîche, 1 citron, 2 toasts par personne.

- Faites réchauffer la boîte d'épinards hachés. Incorporez la crème fraîche.
- Faites griller les toasts. Tartinez-les avec une épaisse couche d'épinards. Placez au centre 1 morceau de foie de morue légèrement écrasé. Décorez avec une demi-rondelle de citron.

Rougets au porto
(à cause des arêtes)

3 rougets moyens, 2 échalotes, 1 cuillère à soupe de crème, 1/2 jus de citron, un peu de persil haché, 2 tomates écrasées. 2 verres de porto, sel, poivre.

- Dans un plat en pyrex beurré, faites un lit d'échalotes et de tomates hachées, écrasées. Faites-y dormir les rougets salés, poivrés. Recouvrez de porto et faites cuire à feu vif une dizaine de minutes.
- Retirez le jus, mettez-le dans une casserole à feu vif. Ajoutez la crème et le jus de citron.
- Retirez les rougets du four, disposez-les dans un plat de présentation et nappez avec la sauce qui est dans la casserole.

Galette surprise
(remplacez la fève par l'alliance)

2 œufs entiers, 100 g de sucre, 100 g de beurre, 150 g de farine, 1 pincée de sel.

- Dans un récipient, mélangez les œufs, le sucre et la pincée de sel.
- Quand le mélange est homogène, ajoutez la farine et le beurre ramolli.
- Pétrissez à la main.
- Étalez la pâte sur une table farinée et placez-la dans un moule beurré. (N'oubliez pas l'alliance). Dorez au pinceau avec de l'œuf et faites cuire 35 minutes à four doux (thermostat 5 ou 6).

MENU B : MENU MALIN

Pommes à cornes

3 belles pommes jaunes, 6 feuilles d'endive, 2 boudins noirs, quelques gouttes de cidre brut.

• Coupez chaque pomme pour en détacher le chapeau. Évidez-les. Jetez les pépins. Gardez la pulpe.
• Faites griller le boudin en le piquant à la fourchette. Mettez également la pulpe de pomme. Ajoutez quelques gouttes de cidre.
• Mixez le boudin et la pulpe de pomme cuits et fourrez les pommes avec ce mélange.
• Plantez deux feuilles d'endive dans chaque pomme pour illustrer les cornes.

Corniottes

3 œufs, 3/4 d'un pot de yaourt au lait entier, 3 cuillères à soupe de crème fraîche, 200 g de viande hachée, 200 g de pâte brisée, sel, poivre.

• Préparez une pâte brisée si vous ne voulez pas l'acheter toute faite.
• Faites cuire votre viande hachée émiettée, légèrement salée et poivrée. Mettez à part.
• Étendez votre pâte brisée au rouleau sur une table farinée et découpez des rondelles à l'aide d'un verre ou d'une tasse à petit déjeuner.

130

• Dans un saladier, battez les œufs comme pour une omelette, ajoutez le yaourt et la crème fraîche. Salez. Poivrez. Mélangez. Ajoutez la viande hachée.
• Mettez les rondelles de pâte brisée dans des petits moules huilés individuels en recouvrant les parois. Piquez la pâte avec une fourchette et versez le mélange œufs-viande dans chaque moule.
• Faites cuire 25 minutes à four chaud (thermostat 8).

Cornets aux fruits jaunes

2 cornets de glace, glace au citron, 12 abricots.

• Achetez deux cornets de glace chez votre boulangère ainsi que du sorbet au citron.
• Garnissez chaque cornet de sorbet, dressez-les à l'envers (le bout fin en haut) dans un petit plat de présentation. Entourez-les d'un collier d'abricots dénoyautés et coupés en deux.
Bien sûr vous ne prendrez pas de ce dessert qui se déguste en trempant l'abricot dans la glace.
Bonjour le malaise!

HELP BABY-SITTER

Vous vous êtes improvisée baby-sitter pour arrondir vos débuts de mois, mais vous n'êtes pas très douée pour la cuisine.

En principe les parents qui font appel à vos services ne vous demandent d'être là que pour surveiller l'enfant, vérifier qu'il ne met pas ses doigts dans les prises électriques ou qu'il ne s'étouffe pas avec son drap.

Il n'est pourtant pas rare que des parents indignes vous abandonnent lâchement avec des petites tornades touche-à-tout qui se mettent à hurler dès qu'on leur parle d'aller se coucher.

1) Quand les parents vous appellent, demandez le prénom et l'âge de l'enfant (c'est peut-être le moment de vous souvenir du « Petit chaperon rouge » et autres contes horribles dont les enfants raffolent).

2) Renseignez-vous sur les aliments qu'ils ont laissés, vous aurez ainsi le temps de feuilleter un livre de cuisine pendant le voyage.

3) Quand vous arrivez, ne faites pas la tête en voyant les parents visonnés et cravatés (Halte au complexe de Cendrillon!).

4) Appelez l'enfant par son prénom, soyez sympa et souriante avec lui, mais ce n'est pas la peine de l'embrasser goulûment d'office.

5) Si des parents indignes vous laissent vous débrouiller, n'hésitez quand même pas à leur demander où sont les choses (casseroles, poêles, pâtes, riz, etc.). Ça vous évitera de vous énerver pendant que le petit vous harcèlera de questions.

6) Attendez-vous à devoir faire l'avion pour qu'il avale les bouchées.

7) Brosse-à-dents, pipi, dodo, débrouillez-vous, ce n'est pas mon rayon.

8) Ne vous endormez pas dans le lit des parents ou alors ne grognez pas quand ils viendront vous réveiller.

Pâtes au beurre

Du svelte spaghetti à l'élégant papillon en passant par la grosse nouille ou le minuscule vermicelle, les pâtes aiment bien prendre leurs aises et être plongées dans une grande casserole d'eau bouillante salée.

Elles adorent qu'on les touille et les chatouille sans quoi elles prennent un malin plaisir à se coller et à s'entremêler. Une goutte d'huile autoritaire suffit à calmer leur dissipation.

Dès que l'eau bout, baissez le feu, sinon quand vous plongerez les pâtes, dedans, elle passera par-dessus la casserole, cela fera des auréoles sur la cuisinière et les pâtes ricaneront en vous voyant passer l'éponge.

Prenez-en une au hasard pour vérifier la cuisson. Quand elles sont tendres et croquantes égouttez-les.

Servez avec une grosse noix de beurre.

Jambon pané

2 ou 3 tranches de jambon cuit, 1 œuf, 50 g de gruyère râpé, 1/2 citron, 2 cuilllères à soupe de chapelure, sel, poivre.

• Dans un bol, battez l'œuf et une pincée de sel en omelette.

• Dans une assiette plate, faites une couche avec le gruyère râpé et dans une autre assiette, étendez la chapelure.

• Trempez les tranches de jambon dans l'œuf, dans le gruyère, puis dans la chapelure.

• Mettez une poêle sur le feu, versez un filet d'huile d'arachide et faites dorer vos tranches de jambon 5 minutes de chaque côté à feu moyen.

Coquelet au petit suisse

C'est un truc bien connu des cuisiniers, le petit suisse parfume agréablement le poulet.

• J'espère que les parents auront choisi un coquelet vidé. Salez et poivrez légèrement l'intérieur, ajoutez un peu de thym en pot, et mettez un petit suisse entier (moins le papier) en guise de suppositoire.
• Huilez l'extérieur du coquelet en étalant l'huile à la main. Salez avec une poignée de gros sel en le faisant pénétrer, toujours à la main, et mettez votre coquelet dans un plat allant au four.
• Faites-le griller en le retournant et en l'arrosant d'un verre d'eau puis du jus de cuisson, 1/4 d'heure, à four vif (thermostat 8).

Steak mongol

Comme son nom l'indique, le steack mongol est un cousin du steack tartare.
Préparez-le de la même façon avec 200 g de viande hachée, 1 jaune d'œuf, 1 petit oignon haché, 2 gouttes de tabasco, 1 cuillère à café de moutarde, 1 cuillère à soupe de ketchup, 1 filet d'huile. Mélangez, rajoutez des ingrédients selon votre goût et faites cuire à feu vif, 5 minutes.

PÈRE DIVORCÉ,
VOUS AVEZ LA GARDE
DE VOS DEUX ENFANTS
PENDANT LE WEEK-END

Ne les voyant que deux jours sur sept, vous vous mettez en quatre pour eux; mais le rôle de papa gâteau, ce n'est pas toujours rigolo. Vous essayez vainement de les persuader d'aller à une exposition d'outils du moyen âge qui vous intéresse.

Vous les emmenez bravement faire du patin à roulettes en redoutant le moment où un autre papa va vouloir discuter chiffons avec vous pendant qu'ils se feront des bosses. Vous allez revoir pour la nième fois les 101 Dalmatiens ou les singes du zoo. Vous vous sentez obligé de monter dans le train fantôme ou sur la grande roue. Vous les gavez de Woopers, Cheese Burgers, crêpes, pralines et esquimaux. Vous les ramenez chez leur mère en leur fourrant un dernier sac de bonbons dans les poches pour qu'elle voie à quel point vous vous êtes bien occupé d'eux.

Vous rentrez chez vous la tête pleine de leurs éclats de rire, tellement exténué, que vous vous endormez tout habillé.

Si un jour vous ne vous sentez pas le courage de vivre dans ce tourbillon, ou que votre porte-monnaie est vide (tout cela vous coûte cher), profitez d'un de ces dimanches d'hiver où seuls quelques vieux vont prendre l'air avec des visages de Toussaint, pour faire avec vos gosses des gâteaux enfantins.

Dans un premier temps, dites-leur que la télé est cassée et que le film au ciné du coin est un vrai navet.

Vous verrez que bien des années plus tard, alors qu'ils seront devenus plus que grands, ils garderont en mémoire ces dimanches qui sentaient bon la vanille ou le coco et où vous vous retrouviez vraiment.

136

Crêpes

4 œufs, 250 g de farine, 3 cuillères à soupe de sucre, 2 verres de lait, 50 g de beurre, 1 pincée de sel fin.

- Dans un grand récipient, versez la farine et creusez-la en fontaine.
- Mettez les 4 œufs entiers (moins les coquilles) au milieu. Mélangez doucement en ajoutant le sucre et le sel.
- Ajoutez le lait et le beurre (ramolli à la main). Laissez reposer la pâte une demi-heure.
- Faites chauffer une poêle et huilez-la avec des tissus imbibés.
- Un fond de louche suffit pour chaque crêpe.
- Retournez-les à mi-cuisson en les faisant sauter si vous voulez rire un peu.
- Huilez la poêle après chaque crêpe.

Sablés à la noix de coco

100 g de farine, 100 g de sucre, 1 œuf, 1 cuillère à soupe de rhum, 1 tasse de noix de coco râpée.

- Dans un récipient, mélangez le sucre et l'œuf énergiquement.
- Ajoutez la farine et le rhum. Mélangez encore.
- Étalez cette pâte sur une table farinée avec un rouleau (ou une bouteille farinée sans étiquette) et découpez des sablés en appuyant les rebords d'un verre.
- Disposez ces sablés sur la plaque du four huilée et faites cuire à four chaud (thermostat 7), 10 minutes.

Savarin

60 g de farine, 25 g de beurre, 1 œuf, 1/2 dl de lait, 1 petite pincée de levure, une infime pincée de sel.

- Faites chauffer le lait et disposez la farine en fontaine.
- Au centre de la fontaine, mettez la pincée de levure et versez le lait tiède dessus. Ajoutez l'œuf entier.
- Incorporez la farine doucement. Mélangez. Vous devez obtenir une pâte liquide que vous laisserez reposer 30 minutes dans un endroit chaud.
- Quand la pâte a doublé de volume, ajoutez le beurre ramolli, la pincée de sucre et le sel. Travaillez l'ensemble à la main (en soulevant et en laissant retomber la pâte).
- Renversez la pâte dans un moule beurré et mettez-la à cuire à four vif (thermostat 9) 5 minutes, puis à four doux 25 à 30 minutes (thermostat 6).
- Nappez le savarin refroidi et démoulé du sirop suivant : 150 g de sucre en poudre, un fond d'eau, quelques gouttes de rhum que vous porterez à ébullition dans une petite casserole.

Crème pâtissière

3 jaunes d'œufs, 40 g de farine, 100 g de sucre, 1/4 de litre de lait, 1/2 bâton de vanille.

- Dans une casserole, mettez les jaunes d'œufs et le sucre et fouettez-les jusqu'à ce que le mélange blanchisse.
- Ajoutez la farine tamisée.
- Versez peu à peu le lait bouillant vanillé et faites cuire cette préparation en tournant avec une spatule de bois énergiquement.

- Quand la crème fait des bulles, laissez-la encore un instant sur le feu; faites attention à ce que le fond n'attache pas.
- Laissez refroidir.

Tarte aux poires

4 poires, 4 cuillères à soupe de crème pâtissière, 1 cuillère à soupe de confiture d'abricots.
Pour la pâte brisée : 125 g de farine, 60 g de beurre, 1/4 de verre d'eau, 1 pincée de sel.

- Dans un récipient en verre, versez la farine et placez le beurre (pas trop dur) au milieu.
- Mélangez en ajoutant l'eau et la pincée de sel.
- Quand la pâte est homogène, (ne pétrissez pas longtemps, 5 minutes sont largement suffisantes) étendez-la au rouleau sur une table farinée. Il faut qu'elle ait 1/2 cm d'épaisseur.
- Enroulez-la autour du rouleau pour la poser délicatement sur un moule à tarte beurré.
- Aplatissez-la sur les bords et coupez le surplus de pâte. Piquez le fond avec une fourchette pour éviter qu'elle ne gonfle à la cuisson.
- Nappez le fond avec la crème pâtissière et disposez les quartiers de poires pelés sur celle-ci en cercles.
- Faites cuire à four chaud (thermostat 7 ou 8) 20 minutes.
- Laissez refroidir la tarte et faites bouillir la confiture d'abricots avec un peu d'eau.
- Badigeonnez de la confiture d'abricots au-dessus des poires. Miam. Miam!

Bonbons au miel

3 cuillères de miel, 1 cuillère de vinaigre, 12 cuillères de sucre en poudre.

• Remplissez un plat avec du sucre en poudre, faites une surface bien plane et creusez des trous dans ce sucre avec un doigt (le majeur de préférence).
• Dans une petite casserole, mettez les 12 cuillères de sucre, le miel et le vinaigre. Faites cuire doucement. Quand le mélange est orange, versez-le avec délicatesse dans chacun des trous que vous avez faits dans le sucre et laissez durcir.
Voilà des bonbons sans colorant bons pour la santé et le moral!

VOTRE ENFANT
PRÉFÈRE
MANGER À LA CANTINE

Chez vous, ce sale mioche ne veut rien avaler.

Vous avez beau employer des subterfuges grossiers du genre : regarde la péniche, espérant lui enfourner une cuillère de purée pendant un moment de distraction, rien n'y fait. Pas même la menace du martinet ou de l'huile de foie de morue.

Avant d'aller consulter un pédiatre ou de mélanger des vitamines écrasées à ses tartines de confiture (preuve d'ailleurs que son anorexie est sélective), faites un peu votre autocritique.

Ce que vous lui donnez à manger n'est vraiment pas terrible : saucisses purée, beefsteaks archicuits, soupes en sachets et j'en passe, comment voulez-vous qu'il ne fasse pas la grimace!

A cet âge pénible où l'on vous gave de tables de multiplication et de grammaire, si le repas est aussi une obligation, il y a de quoi faire la grève du jambon!

A la cantine au moins, comme le dit la chanson, il flotte un air de récréation.

Sans autoriser votre chenapan à balancer des petits suisses à la tête de grand-père, préparez-lui donc des plats qui l'amuseront et vous permettront hypocritement de lui faire ingurgiter les vitamines indispensables.

Soupe qui dit l'heure

Les enfants n'aiment pas la soupe. C'est pour eux un mets inutile et ennuyeux qu'on les force à avaler pour des raisons qui leur échappent.

Lavez et épluchez un petit poireau. Découpez-le au ciseau en chiffres romains : I, II, III, IV, etc. et disposez ces chiffres autour de l'assiette. Versez au milieu un potage de votre choix bien épais et dessinez les aiguilles avec deux bâtonnets de carotte.

Barquettes de vitamines

Achetez des petites barquettes en pâte feuilletée toutes prêtes et remplissez-les de carottes râpées nappées de jus de citron.

Soucoupe volante

1 pain rond pour 3 ou 4 personnes, 1 concombre, 125 g de beurre, 125 g de roquefort, sel, poivre.

• Épluchez et évidez le concombre. Gardez les deux bouts.
• Coupez un chapeau dans le pain rond. Enlevez la mie et remplissez le pain de concombre légèrement salé.
• Dans une petite casserole, préparez une sauce au roquefort en faisant fondre le beurre, le roquefort et un peu de poivre.

• Quand le mélange est homogène, nappez les concombres, recouvrez avec le chapeau, creusez un trou au milieu et placez-y les bouts de concombre que vous aurez sculptés en forme de martiens!

Pirogue des Cheyennes

3 filets de merlan, 1/2 litre de béchamel, 3 aubergines, sel, poivre.

• Poêlez les filets de merlans salés et poivrés. Écrasez-les en purée.
• Préparez votre béchamel.
• Lavez et creusez vos aubergines de façon à ce qu'elles ressemblent à un récipient creux en forme de pirogue.
• Mettez-les au four 20 minutes.
• Au bout de ce temps, sortez-les du four et emplissez-les de la chair de poisson et de deux cuillères à soupe de béchamel.
• Remettez au four 5 à 7 minutes.
• Servez les pirogues bourrées de phosphore au grand chef!

Trésor du corsaire

• Pressez 3 pamplemousses. Récupérez le jus.
• Emplissez chaque moitié de pamplemousse de fruits divers. Nappez-les avec le jus additionné d'une cuillère à café de miel.
• Recouvrez avec l'autre moitié de pamplemousse.
• Dessinez une tête de mort ou plantez un drapeau pour faire plaisir à votre galopin.

VOUS AVEZ ESSAYÉ
TOUTES LES RECETTES PRÉCÉDENTES
ET VOUS VOUS ÊTES PLANTÉ

Ou vous êtes franchement nul; ou les recettes ne sont pas claires. Je pencherais en toute objectivité pour la première hypothèse.

Avant de jeter ce livre à travers la cuisine et de pleurer devant vos oignons carbonisés, si vous réfléchissiez un peu.

Passez-vous le film de ce que vous allez faire au lieu de foncer tête baissée vers vos casseroles et vos plaques chauffantes, un œil sur la recette, l'autre sur le lait qui bout.

Vous mélangez tous les gestes et comme vous n'êtes pas Vishnou, qu'il vous manque toujours un bras pour ajouter le persil quand il faut ou retirer la poêle au bon moment, vous pataugez.

Que diriez vous d'un apprenti conducteur qui se mettrait au volant en regardant son code de la route?

Et puis, n'allez pas toujours tout gâcher en rajoutant du sel et du poivre, sous prétexte qu'il n'y en a jamais trop, ou en les omettant sous prétexte qu'il est plus facile d'en rajouter.

Si votre mayonnaise tourne ce n'est pas la faute de quelque dieu maléfique ou la présence d'une femme réglée dans les parages, mais de votre manque total de concentration.

La fonction créant l'organe, si vous voulez qu'il vous pousse des doigts de fée, mettez-y un peu de bonne volonté.

En attendant, voici des recettes magiques.

FORCE 2, 1 PERSONNE

Quenelles de brochet en trompe-l'œil

1 boîte de bisque de homard, 3 quenelles de brochet, 1 cuillère à soupe de crème fraîche, 1 pincée de gruyère râpé, 1 pincée de cerfeuil en pot, sel, poivre.

• Versez le contenu de la boîte dans une petite casserole. Ajoutez-y le même volume d'eau. Salez légèrement, poivrez. Faites tremper vos quenelles.

• Quand la bisque est chaude, ajoutez de la crème fraîche et une pincée de cerfeuil. Versez dans un plat à gratin, parsemez de gruyère râpé et faites gratiner 5 minutes.

FORCE 4, 2 PERSONNES

Canard Beaufort

2 aiguillettes de canard, 2 grosses pommes de terre, sauce en boîte (chaud-froid brun de canard).

• Épluchez vos pommes de terre. Lavez-les. Essuyez-les. Découpez de longues frites.

• Trempez-les dans une friteuse à l'huile très chaude mais que le feu ne soit pas trop violent, vous seriez capable de faire passer l'huile par dessus...

• Quand elles sont légèrement dorées, égouttez-les.

• Faites griller vos aiguillettes de canard salées et poivrées, 6 minutes dans une poêle beurrée.

- Replongez les frites 30 secondes dans l'huile. Égouttez-les, salez-les et disposez-en quelques-unes en forme d'échelle dans chaque assiette.
- Mettez les aiguillettes de canard dessus et nappez avec un filet de sauce chaude. Mettez les autres frites salées à part.
- Il faut vraiment tout vous expliquer!

FORCE 6, 3 personnes

Steak Gillot-Pétré

3 cœurs de rumsteak de 200 g, 3 poivrons rouges, 3 poivrons verts, 3 endives, 150 g de beurre, ciboulette hachée, sel, poivre.

- Faites cuire les endives lavées dans une casserole d'eau salée, poivrée et citronnée.
- Pendant ce temps, épépinez les poivrons coupés en deux et faites-les griller à four vif 10 minutes.
- Mélangez la ciboulette avec le beurre et séparez celui-ci en trois noix.
- Égouttez les endives et faites griller votre steak selon votre goût.
- Placez dans chaque assiette une endive, un poivron vert, un poivron rouge en forme de pochettes.
- Mettez le steak au centre avec une noix de beurre à la ciboulette et adieu nuages!

Raz de marée

4 petites sèches, 4 bouquets grillés, 12 praires. 1 poignée de moules, 1 poignée de coques, 2 œufs, 2 cuillères à soupe de crème fraîche, 100 g de beurre fondu, poivre (cayenne), safran.

• Faites cuire les seiches au court-bouillon, 20 minutes. Égouttez-les. Réservez-les au chaud.

• Enlevez les coques, praires et moules de leurs coquilles en récupérant l'eau qu'elles contiennent.

• Séparez les jaunes des blancs d'œufs et mettez-les dans une petite casserole.

• Ajoutez l'eau des coquillages et faites chauffer à feu doux. Fouettez jusqu'à obtention d'une mousse consistante sans pour cela laisser trop cuire.

• Incorporez 2 cuillères à soupe de crème fraîche fouettée et 100 g de beurre fondu. Rectifiez l'assaisonnement en ajoutant du cayenne. Pas de sel!

• Plongez dans cette sauce sabayon, les coques, praires, moules ainsi que les crevettes décortiquées. Laissez frissonner le tout en remuant avec une spatule de bois.

• A l'aide d'une écumoire, égouttez les coquillages et mettez-les dans les blancs de seiche.

• Nappez les blancs de seiche avec la sauce sabayon. Parsemez-les de filaments de safran.

• Disposez des bouquets préalablement sautés à la poêle autour de chaque blanc de seiche farci.

IV

4 PERSONNES

Si 4 est le chiffre idéal pour faire un repas de gourmet entre convives de qualité, il y a cependant des circonstances dans la vie où une certaine philanthropie sauvage demande à être nuancée...

REPAS GUINDÉ
MAIS PAS COINCÉ

Pour ce type de repas qui s'annonce « bon chic bon genre » c'est-à-dire ennuyeux à l'extrême, vous avez une multitude d'ouvrages culinaires où l'on vous apprend comment dresser le couvert, décorer la table, mettre le vin en carafe etc... Nous n'y reviendrons pas.

Il existe même en Suisse un haras pour jeunes filles à papa où, moyennant une somme coquette, elles apprennent toutes les conventions du « savoir-recevoir ».

Il est déconseillé, sinon interdit, de parler à table de politique, de religion, de sexualité et du dernier Godard, d'émettre un jugement qui pourrait passer pour de la médisance sur qui que ce soit. Par contre, vous pouvez toujours disserter sur les aléas météorologiques ou la culture du soja en Belgique, ça ne blessera personne.

Sans vouloir jouer les mauvais esprits et faire voler en éclats les traditions de la table qui, à travers révolutions et cataclysmes, nous sont, Dieu merci, restées, on peut quand même manger plus loin que le bout de sa fourchette.

Si ce soir vous devez recevoir le colonel de La Patelière ou quelque obscur notable de province rêvant de Légion d'honneur, vous pouvez, tout en mettant les petits plats dans les grands, passer une soirée formidable. Il suffit pour cela de faire un repas sournoisement alcoolisé. Je suis sûr qu'au dessert les cravates et les langues se dénoueront.

Œufs bourguignons

4 œufs, 4 toasts, 1/2 litre de bourgogne, 1 poivron, 1 échalote, 100 g de beurre, 1 cuillère à café de farine, thym, ail, sel, poivre, vinaigre de vin.

• Dans une casserole versez le vin, une pincée de sel, le thym, l'échalote, l'oignon et faites réduire le liquide de moitié à feu doux.
• Dans une autre casserole, mettez le beurre et la cuillère de farine.
• Quand le mélange forme une crème blanche, versez-le dans la sauce au vin réduite pour que cette dernière épaississe. (Passez-la, enlevez l'oignon, l'échalote et les grumeaux éventuels). Laissez sur le feu 2 minutes.
• Pochez les œufs (4 minutes) dans une casserole d'eau vinaigrée.
• Faites griller les toasts.
• Mettez les œufs sur les toasts grillés et nappez avec la sauce au vin.

Escalopes au madère

4 escalopes de veau, 1 tranche de jambon cru, 2 cuillères à soupe de farine, 1 grosse noix de beurre, 250 g de champignons de Paris, 1 verre de madère, 2 cuillères à soupe d'huile, persil, sel, poivre.

• Lavez et émincez les champignons. Faites-les revenir. Mettez à part.
• Farinez les escalopes.

• Hachez la tranche de jambon. Mélangez-la avec le persil haché. Laissez macérer une demi-heure dans le madère.

• Dans une poêle, faites cuire les escalopes 5 minutes de chaque côté.

• Baissez le feu, ajoutez le madère, le jambon persillé et les champignons. Salez. Poivrez et laissez cuire 6 minutes.

Crème d'avocats au vin rouge

4 avocats, 1/2 verre de vin rouge, 4 cuillères à café de sucre.

• Épluchez et mixez les avocats.

• Ajoutez-y le vin et le sucre. Mélangez.

• Mettez cette crème onctueuse en coupes individuelles. Décorez avec un carré d'ananas en boîte.

Filets de robinette

4 filets de robinette (maquereau bâtard), 1 verre de vin blanc sec, 8 g de beurre, persil ou coriandre haché, sel, poivre.

● Disposez les filets de robinette salés et poivrés + 1 goutte d'huile dans un plat allant au four. Nappez-les avec un filet de vin blanc et mettez sur chaque filet une noisette de beurre. Passez-les au four (thermostat 7 ou 8), 25 minutes.

● Pendant ce temps, mettez 80 g de beurre, 1/2 jus de citron, le reste du vin blanc, du sel et du poivre dans une petite casserole. Portez à ébullition.

● Dès l'ébullition, nappez de cette sauce le poisson qui est en train de cuire dans le four, en plusieurs fois, de façon à ce qu'il ne soit jamais sec.

● Servez un filet par assiette. Nappez de la sauce et parsemez de persil haché.

● Servez accompagné d'une petite mousse à l'oseille.

Poulet au riesling

1 gros poulet coupé en morceaux, 2 oignons, 1 échalote hachée, 1/2 litre de riesling, 2 cuillères à soupe de crème fraîche, 50 g de beurre, sel, poivre.

● Dans une cocotte beurrée, déposez vos morceaux de poulet et faites-les dorer.

● Ajoutez les oignons. Salez et poivrez. Ajoutez un fond d'eau et laissez mijoter 12 minutes.

● Quand le poulet est cuit, jetez le beurre noirci. Réservez le poulet à part au chaud.

- Dans la cocotte, mettez l'échalote et le vin blanc. Augmentez le feu et faites réduire cette sauce. Ajoutez la crème fraîche et laissez cuire encore 3 à 5 minutes.
- Nappez les morceaux de poulet avec cette sauce.
- Servez avec des haricots verts.

Poires à la cannelle

4 poires Williams, 2 cuillères à soupe de cannelle, 1/2 litre de vin de Bourgogne, 100 g de sucre en poudre, 1/2 jus de citron, 1/4 de litre d'eau.

- Épluchez les poires.
- Dans une casserole, versez l'eau, le vin, le sucre et la cannelle. Portez à ébullition à feu doux.
- Quand le mélange bout, trempez-y les poires et laissez cuire 15 minutes. Ajoutez le 1/2 jus de citron en cours de cuisson.
- Quand le mélange est sirupeux, éteignez le feu. Enlevez la casserole et laissez les poires refroidir dans le sirop.
- Quand elles sont froides mettez-les au réfrigérateur une bonne demi-heure.

VOUS AVEZ INVITÉ
M. ET MME DE POULPIQUET.
Lui est chevalier du tastevin, elle a fini deuxième au concours de la meilleure cuisinière du Bas-Limousin...

Inutile de les combattre sur leur terrain, lancez-vous résolument dans la nouvelle cuisine. Et dites à votre ami d'apprendre ces quelques dates succinctes s'il veut discuter avec le chevalier.

• *Les plus mauvaises années pour les bordeaux, et bourgogne rouges et blancs réunis :* 1960 - 1963 - 1965 - 1968 - 1977.

• *Les meilleures années pour le bordeaux rouge :* 1959 - 1961 - 1970 - 1975 - 1978 - 1981.

• *Les meilleures années pour le bourgogne rouge :* 1961 - 1966 - 1976 - 1978.

Surtout qu'il n'aille pas prétendre comme la majorité des Français que ce sont les Gaulois qui ont inventé le vin.

Bacchus lui-même n'aurait pu dire quel obscur génie lui avait permis de vivre cette tonitruante éternité d'orgies au milieu de ses bacchantes, car le vin est aussi vieux que la première civilisation. Il faut dire qu'en ces temps bibliques, c'était de l'horrible piquette. Noë (le premier ivrogne du monde) a dû avoir de sérieuses crampes d'estomac aux commandes de son arche.

Ce sont les Grecs qui du temps d'Homère, ont commencé à l'aromatiser avant de le faire cuire et de le fumer au siècle de Périclès. La vigne n'est apparue en Gaule que vers 600 av. J.-C. importée selon les uns par les Phocéens venus fonder Marseille, ou selon les autres par un Toscan en rupture de famille dont l'ingrate Histoire n'a pas retenu le nom.

Il faudra attendre 130 av. J.-C. pour que les Gaulois réussissent à vraiment acclimater les ceps sur les coteaux de

Gaillac et à fignoler des procédés de fabrication qui feront de ces anciens buveurs invétérés de cervoise d'incomparables vignerons.

Et puis consolons-nous en pensant que quelques siècles plus tard, un certain Dom Pérignon nous vengera en inventant le champagne.

Terrine de saumon fumé★★★
au caviar Sevruga

500 g de saumon fumé et bien rose, 125 g de caviar Sevruga, 1 citron vert, 200 g de crème fraîche.

- Mixez le saumon fumé 4 minutes à grande vitesse pour obtenir une pommade très souple.
- Débarrassez le bol et réservez au froid.
- Fouettez la crème fraîche jusqu'à obtention d'une crème chantilly (non sucrée bien sûr).
- Mélangez cette crème fouettée et la panade de saumon à l'aide d'un fouet pour obtenir une mousse très fine et sans granulés.
- Disposez dans une terrine la moitié de cet appareil et lissez à l'aide d'une petite spatule en caoutchouc la première couche.
- Disposez le caviar en lignes dans le sens de la longueur.
- Recouvrez avec l'autre moitié de mousse de saumon. Laissez au froid une journée.
- Démoulez cette terrine en la trempant dans de l'eau à 80° 20 secondes.
- Tranchez-la et disposez-la sur le plat de service fermé entouré de citrons verts coupés en tranches.

Vin : Chablis 1er cru.

Carré d'agneau à la crème d'échalotes*** et aux légumes frits

1 carré d'agneau de 12 côtes, 300 g d'échalotes, 1/2 boule moyenne de céleri-rave, 4 carottes, 1 bouquet de coriandre frais, sel, poivre du moulin, 1/2 litre de lait, 100 g de crème fraîche, 1 jus de citron.

Carré d'agneau : sel, poivre. Faites rôtir le carré 25 minutes (thermostat 8) en l'arrosant fréquemment de bouillon de viande.

Pendant ce temps :

• Épluchez les échalotes. Faites-les cuire dans 1/2 litre de lait froid, pendant 30 minutes, à feu doux.

• Mixez le lait et les échalotes cuites pour obtenir un coulis. Ajoutez-y la crème fraîche. Faites frémir le tout pendant 3 ou 4 minutes pour liaison.

• Au dernier moment, ajoutez le jus de citron. Rectifiez l'assaisonnement selon votre goût.

• Râpez assez grossièrement les carottes et la boule de céleri après les avoir lavées et épluchées. (Avant de râper le céleri, vous feriez bien de frotter la boule avec l'écorce du citron afin qu'elle ne noircisse pas).

• Jetez les légumes râpés dans de l'huile bouillante à 180°. Laissez-les frire et dorer. Égouttez-les sur un linge propre, mélangez-les avec la coriandre fraîche.

• Disposez ce buisson de légumes frits au centre du plat de service.

Vin : Pauillac.

159

Millefeuille de blancs d'œufs carmin***

6 blancs d'œufs, 1/2 jus de citron, 400 g de sucre glace, 500 g de framboises, 125 g de fraises du Périgord.

• Montez les blancs avec le jus de citron en neige très ferme.
• Mélangez 300 g de sucre glace et faites cuire à feu très doux (thermostat 2) dans une terrine sur toutes ses parois au bain-marie, 30 à 45 minutes (selon la vaillance de votre four).
• Piquez avec un couteau le centre (de façon à vérifier la cuisson).
• Émincez les fraises lavées et égouttées. Saupoudrez-les de 25 g de sucre glace. Laissez macérer 5 minutes au froid.
• Mixez les framboises avec le sucre glace restant pour faire un coulis crémeux. Réservez au réfrigérateur.
• Démoulez le gâteau de blancs d'œufs et laissez-le refroidir.
• Quand il est refroidi, couchez-le sur le côté et coupez délicatement en tranches régulières dans le sens de la longueur.
• Disposez la première tranche sur le plat de service. Recouvrez celle-ci d'une partie des fraises macérées. Recouvrez de l'autre tranche de gâteau. Redisposez une autre couche de fraises jusqu'à épuisement des fraises et du blanc.
• Entourez ce gâteau du coulis de framboises.
Vin : Champagne.

VOUS RECEVEZ
UN COUPLE D'ANGLAIS

Un repas typiquement français s'impose.

Ils seraient très déçus si avant le camembert arrosé au bourgogne, vous ne mettiez pas des cuisses de grenouilles ou des escargots à votre menu.

C'est pour eux une chose très étrange que d'avoir eu l'idée de manger ces bêtes-là. Il n'y avait que ces « sacrés froggies » pour y penser.

D'ailleurs l'escargot non plus ne s'y attendait pas. Lui le baveux, le visqueux, le gluant; lui, le solitaire silencieux qui n'a besoin de rien, ni de personne : ni d'insectes pour se nourrir, ni d'habitat pour dormir, ni même de congénère pour se reproduire. Lui, le seul authentique vagabond de tout le monde animal, comment aurait-il pu penser que ce satané Français profiterait lâchement de sa lenteur pour le chasser?

Dès le néolithique, ce pauvre diable est l'un des mets favoris de nos ancêtres (on a retrouvé des coquilles datant de 4000 av. J.-C. en faisant foi).

Ces grands dadais de Celtes auraient pu, en arrivant sur notre territoire, avoir mieux à faire que de l'enquiquiner; en bien non, eux aussi se sont pourléché les moustaches en le dégustant, et les Gaulois en ont fait tout autant.

Un Romain du sinistre nom de Fulvius Hirpinus, a même imaginé d'engraisser notre infortuné gastéropode. Il ne fallait surtout pas compter sur les Burgondes et autres Vandales pour l'épargner, eux les guerriers sanguinaires qui n'avaient de penchants séraphiques que pour les confitures de roses.

Que voulez-vous, « ils sont fous ces froggies », parce qu'il faut bien reconnaître que ce qu'il y a de meilleur dans l'escargot, c'est la sauce!

Cuisses de grenouilles au basilic

4 douzaines de cuisses de grenouilles, 150 g de beurre, 2 gousses d'ail, 1/4 de litre de lait, un peu de farine, 2 branches de basilic, sel, poivre, estragon.

N'en déplaise aux ayatollahs, prenez des cuisses surgelées!
- Laissez-les tremper dans le lait une bonne demi-heure.
- Laissez-les sécher et farinez-les.
- Faites-les cuire à feu moyen dans une poêle chaude largement beurrée. Salez, poivrez.
- Pilez l'ail et hachez le basilic.
- Quand les cuisses sont prêtes, mettez-les à part au chaud.

Baissez le feu, jetez le beurre noirci, mettez 150 g de beurre dans la poêle, l'ail et l'estragon hachés et nappez les cuisses de grenouilles avec ce beurre au moment de servir.

Flan Froggy★★★

1/2 litre de lait, 6 œufs entiers, 1 pincée de curry, 2 cuillères de crème fraîche, 36 cuisses de grenouilles, sel, poivre.

- Faites bouillir le lait. Mettez de côté.
- Mélangez les 6 œufs entiers avec la crème fraîche et le curry. Salez. Poivrez.
- Versez le lait bouilli refroidi sur ce mélange et fouettez très fort. Laissez 10 minutes au froid.

Cuisses de grenouilles.

2 échalotes, 1 bouquet de ciboulette, 1 cuillère à soupe d'huile d'arachide, sel, poivre.

- Coupez les échalotes en petits dés et hachez la ciboulette.

- Faites fondre le beurre dans une poêle moyennement chaude et faites cuire les cuisses de grenouilles et les échalotes en les remuant avec une spatule de bois.
- Débarrassez la poêle. Laissez refroidir et tirez les chairs des cuisses de grenouilles à la main, du haut vers le bas.
- Incorporez ces chairs dans un moule à flan avec la ciboulette hachée.
- Recouvrez avec l'appareil à flan.
- Mettez à cuire au bain-marie, à four très doux, 20 minutes.
- Laissez refroidir. Démoulez sur le plat de présentation et servez avec une salade de votre choix.

Escargots à la bourguignonne

48 escargots de Bourgogne, 300 g de beurre, 2 échalotes, 1 gousse d'ail, 1 verre de persil haché, sel, poivre.

- Achetez des escargots en boîte. Lavez-les, égouttez-les. Faites de même avec les coquilles.
- Remettez notre sympathique gastéropode dans sa coquille. Hachez le persil, l'ail et les échalotes. Mélangez le tout au beurre. Salez. Poivrez.
- Fourrez chaque coquille avec le beurre persillé en laissant l'ouverture en haut.
- Mettez-les dans un plat à escargots et passez-les au four chaud (thermostat 7 ou 8), 7 à 8 minutes.

Escargots à la provençale

48 escargots petits-gris en boîte, 1 oignon, 50 g de chair à saucisse, 2 tomates, 1 branche de fenouil, 2 branches de persil, 1/2 verre de vin blanc, 1 cuillère à soupe d'huile d'olive, sel, poivre.

- Lavez et égouttez escargots et coquilles. Mettez un habitant par coquille.

- Très important : percez une petit trou du côté opposé à l'ouverture dans chaque coquille à l'aide d'une grosse aiguille à coudre.
- Hachez le persil et concassez les tomates.
- Dans un petit faitout huilé, faites blondir l'oignon haché. Ajoutez la chair à saucisse. Laissez cuire 5 minutes en remuant.
- Ajoutez la tomate, le persil, l'ail et le fenouil. Mouillez avec le vin et laissez cuire environ 1/4 d'heure à feu doux. Rajoutez de l'eau au besoin. Salez. Poivrez.
- Mettez les escargots dans le faitout et laissez mijoter une bonne heure. N'oubliez pas le couvercle !

Vos amis anglais seront sûrement étonnés d'apprendre qu'on déguste les escargots préparés de cette façon en suçant les coquilles.

Cassolette d'escargots à la muscade

4 douzaines d'escargots petits-gris, 1 laitue, 1 jus de citron, 2 cuillères de beurre, 1 tranche de jambon de Bayonne, sel, poivre, 1/3 de noix de muscade râpée, 1 verre de vin blanc de Bourgogne/Pouilly fumé.

- Lavez et égouttez les escargots.
- Coupez le jambon en petits dés et râpez le tiers de la noix de muscade.
- Lavez et égouttez la laitue. Essuyez-la.
- Dans une poêle beurrée chaude, jetez les escargots, les dés de jambon. Saupoudrez avec la muscade. Salez. Poivrez. Faites rissoler 3 à 4 minutes à feu vif.
- Déglacez avec le vin blanc.
- Égouttez les escargots et disposez-les sur le plat de service tapissé de laitue ciselée.
- Laissez réduire de moitié le jus.
- Nappez les escargots avec ce dernier au moment de servir.

164

VOUS RECEVEZ LE COUPLE BIDART
DONT LA SPÉCIALITÉ
EST DE TOUJOURS
S'ENGUEULER À TABLE

Ils s'invectivent, se cinglent, se flagellent à coups de sous-entendus assassins, mais depuis le temps que leur couple est à la dérive, ils ont fini par avoir le pied marin.

Sur leur radeau ivre qui descend le ruisseau du quotidien, les Bidart s'accrochent l'un à l'autre dès que le gouffre de la solitude apparaît à l'horizon.

Cela pourrait porter un très joli nom : *la passion.* Qui sait si la nuit sur l'oreiller, ils ne se crachent pas des « je t'aime », déchirés, lui Petrucio à bretelles et elle, mégère décolorée?

Hélas, Shakespeare n'est plus de ce monde pour les aider à s'apprivoiser.

Et vous, vous êtes là au milieu de leurs tempêtes, petit fétu de bonne volonté, mais ce soir vous en avez ras l'assiette de ce *Virginia Woolf* de série B.

Préparez donc aux Bidart des plats qui leur occuperont les mains et les mandibules : un poulet aux écrevisses par exemple (impossible de faire autre chose quand on mange ce truc-là, et quand bien même ils auraient envie de le faire, dites-leur d'attendre le dessert surprise).

Si vous êtes un peu plus fortunée, vous pouvez également essayer le homard, ils se tiendront sûrement à carreau derrière leurs bavoirs.

Poulet aux écrevisses

*1 poulet découpé, 12 écrevisses, 250 g d'échalotes, 250 g de
lard, sel, poivre, 1/2 bouteille de vin blanc sec.*

• Dans une cocotte, faites dorer à feu vif les morceaux de
poulet, 5 minutes.
• Dans une poêle, faites revenir les échalotes et le lard, 10
minutes.
• Quand tout le monde est revenu, mettez le lard, les
échalotes et le vin blanc sur le poulet. Baissez le feu et
laissez mijoter 40 minutes.
• Dans la poêle où vous aviez mis les échalotes et le lard,
faites sauter les écrevisses, non pas en essayant de leur faire
franchir des obstacles, mais en les laissant cuire dans de
l'huile bien chaude 10 minutes environ. Arrangez-vous pour
qu'elles soient prêtes en même temps que le poulet, sinon
elles seront froides.
• Quand le poulet est cuit, versez-le avec sa sauce dans un
plat de présentation (au centre). Entourez avec les écrevisses
si vous voulez simplifier la tâche des Bidart, sinon mélangez.

Tarte à la crème

• D'abord préparez une crème frangipane.
*3 décilitres de lait, 3 gouttes de kirsch, 100 g de sucre, 80 g
de farine, 3 œufs, 60 g d'amandes pilées.*

• Faites bouillir le lait aromatisé au kirsch.
• Pendant que lait chauffe, mélangez vite fait dans une

casserole le sucre, la farine, 2 œufs entiers + 1 jaune (le blanc battu en neige servira plus tard).
• Quand le lait est bouilli, versez-le sur ce mélange et faites chauffer à feu moyen environ 7 minutes, tout en battant très doucement avec un fouet. Ajoutez les amandes pilées.
• Au dernier moment, ajoutez le blanc battu en neige, mélangez encore jusqu'à ce qu'il soit bien incorporé. Retirez du feu.
• Étalez la pâte brisée * avec un rouleau à pâtisserie, sur une table farinée. Disposez-la dans un moule à tarte beurré. Piquez-la partout avec une fourchette (sinon elle gonflerait à la cuisson).
• Mettez-la à four bien chaud, 10 minutes dans un premier temps. Au bout de ces 10 minutes, retirez-la du four, versez dessus la crème frangipane. Remettez au four un quart d'heure.

MENU B : LE PLUS CHER MAIS LE PLUS SIMPLE
Homard grillé

Pour 3 personnes : 1 homard de 800 g, sel, poivre, court-bouillon, persil, beurre.

Il y a deux façons de griller un homard.
• Le couper sadiquement vivant, dans le sens de la longueur, et le faire griller aussitôt.

Mais pour vous qui êtes une âme sensible,
• Préparez un court-bouillon, plongez le homard vivant en fermant les yeux. Laissez-le à feu doux environ 10 minutes.

* Voir la table des recettes.

• Au bout de ce temps, retirez le homard du court-bouillon, coupez-le en deux dans le sens de la longueur et faites-le griller environ 15 minutes (retournez-le en cours de cuisson).

• Servez-le sur le plat de présentation entouré de persil, et nappez-le légèrement avec du beurre fondu. Dans une saucière, mettez de la sauce béarnaise au cas où ces impolis de Bidart le trouveraient un peu sec.

Plateau de fruits secs
(noix, noisettes, etc.)

Ce deuxième menu, plus coûteux il est vrai, vous permettra néanmoins d'utiliser moins de vaisselle (le casse-noix servant pour le plat de résistance comme pour le dessert).

DÎNER SOUVENIRS

En général, les maris invitent toujours, tôt ou tard, un copain de régiment à dîner.

Eh bien, pas le vôtre.

Mais depuis le temps qu'il vous rebat les oreilles avec son amour d'adolescence qui lui a fait découvrir le boogie-woogie et le coca-fraise, vous avez décidé de l'inviter.

Comme vous ne voulez pas être de reste, vous avez aussi convié Pierre-Charles qui n'omettait jamais de glisser un poème entre les pages de vos livres de français avant de vous les rendre.

Prière de ne pas pouffer de rire dans la cuisine si la belle Ophélie a pris des culottes de cheval et qu'elle est devenue un peu tarte.

Essayez de l'imaginer un soir de clair de lune à Saint-Aubin-sur-Mer avec ses cheveux crêpés fleurant bon la laque et le chewing-gum. Votre mari a dû sentir monter en lui les premières effluves de l'amour fou.

Quant à votre amoureux transi, l'âge l'aurait plutôt embelli. Il faut dire que les tempes qui grisonnent, c'est plus esthétique qu'une peau qui boutonne.

Pour retrouver ce temps où vous étiez l'égérie de votre apprenti Rimbaud, voici un menu aux saveurs nostalgiques à moins que, voulant nier le temps qui passe, vous ne décidiez de faire un grand bond en arrière et de vous replonger dans l'époque des vespas et des bananes, quand la fureur de vivre déferlait des juke-box.

MENU A : ROMANTIQUE
Salade romantique★★★

1 kg de haricots verts, 4 bouquets (grosses crevettes roses), menthe fraîche.
Vinaigrette : 1 cuillère à soupe de vinaigre de cidre, 3 cuillères à soupe d'huile de noix, 125 g d'œufs de saumon, sel, poivre.

- Épluchez les haricots verts. Lavez-les et égouttez-les. Plongez-les dans 3 litres d'eau bouillante bien salée. Laissez-les cuire 10 minutes. Égouttez-les.
- Faites cuire les bouquets au court-bouillon, décortiquez-les en laissant la tête.
- Disposez les haricots en buisson autour de chaque assiette et mettez les bouquets dessus.
- Effeuillez la menthe autour et au-dessus du buisson de haricots verts.
- Dans un bol, fouettez l'huile, le vinaigre, le sel et le poivre et mélangez délicatement les œufs de saumon à cette vinaigrette. Nappez le buisson de haricots ainsi que les bouquets.

Amourettes Escudéro

4 boules de 200 g de ris de veau, 400 g de céleri-rave, 1 cuillère à soupe de crème fraîche, 1 verre à cognac de porto, sel, poivre, court-bouillon.

L'amourette traditionnelle est ici remplacée par des ris de veau à la saveur plus élégante mais la préparation est la même.

170

- Trempez vos ris de veau dans de l'eau froide.
- Faites-les cuire au court-bouillon citronné.
- Mettez-les à part au chaud.
- Râpez le céleri-rave et faites-le dorer dans une poêle chaude huilée et beurrée.
- Quand le céleri est doré, ajoutez une cuillère à soupe de crème fraîche. Salez, poivrez.
- Disposez le céleri en buisson ou fontaine dans chaque assiette.
- Versez le porto dans la poêle et déglacez celle-ci.
- Placez vos ris de veau au centre du buisson de céleri et nappez-le tout avec le porto réduit.

Petites madeleines de Proust★★★

12 petites madeleines, 1 pot de crème de violettes, 1 verre à cognac de kirsch, 2 jus de citron.

- Renversez le pot de crème de violettes (250 g) dans un saladier.
- Ajoutez le kirsch et le jus de citron. Mélangez le tout pour obtenir une confiture très fluide.
- Mettez ce coulis dans chaque assiette, disposez 3 madeleines par personne sur celui-ci en forme d'étoile. Laissez le centre libre pour y placer une tranche de mandarine confite.
- Dégustez en trempant résolument les madeleines dans le coulis et en fermant les yeux!

MENU B : BRANCHÉ

Salade hula-hoop

*1 grande boîte de maïs, 2 gros oignons, 100 g de comté,
2 tranches de jambon, mayonnaise, ketchup.*

- Coupez le jambon en carrés et le comté en petits cubes.
- Lavez et égouttez le maïs.
- Épluchez les oignons et coupez-les en cercles (comme des hula-hoops!).
- Préparez une mayonnaise rose en ajoutant à une mayonnaise normale 1 cuillère à café de ketchup.
- Dans un saladier, mélangez maïs, jambon, comté et une partie des cercles d'oignons, avec la mayonnaise rose.
- Décorez avec le reste des cercles d'oignons sur le dessus.

Hamburger façon Elvis

*4 steacks hachés, 4 tomates, 2 gousses d'ail, 1 grosse noix
de beurre, 1 clou de girofle, 1/2 verre de vin rouge, 4
tranches de chester, sel, poivre, thym.*

- Hachez l'ail très finement.
- Lavez et pelez les tomates.
- Dans un faitout huilé, mettez les tomates, l'ail, une pincée de thym, le clou de girofle. Salez. Poivrez. Laissez à feu doux 10 minutes.
- Dans une poêle, faites cuire vos steaks hachés, nappez-les avec le vin rouge. Laissez réduire. Recouvrez chaque steak d'une tomate et d'une tranche de chester.
- Servez.

172

Banana split

Dans chaque coupe allongée : 1 banane coupée en deux dans le sens de la longueur. 1 boule de glace à la fraise, 1 boule de glace à la vanille, 1 boule de glace au chocolat nappées de crème chantilly.

Je suis sûr que vous avez eu assez de travail avec le steak Elvis et que vous avez acheté ces aliments tout préparés!

VOUS VOULEZ FAIRE UN RÉGIME
MAIS PAS EN SOLITAIRE

Qu'il est loin le temps d'Henri IV et de la poule au pot où, pour les gens du peuple, manger de la viande c'était le Pérou...

En nos décades diététiques, le navet est redevenu roi. Le premier président de la République qui dira aux foules repues de béarnaise : « je vous promets des poireaux » aura pour lui le bulletin de plus d'un million d'obèses, ce qui en cas de litige pourrait peser lourd dans la balance.

Pour aider à fuir cette société d'abondance devenue l'enfer du sucre pour 500 millions d'humains, ce ne sont pas les solutions qui manquent : du jogging au sauna en passant par la grève de la faim.

A ces multitudes transpirantes qui prient sainte Saccharine de les délivrer de l'embonpoint, des anges mercantiles sourient sur des affiches alléchantes, un fromage à 0 % dans la main.

Que voulez-vous, l'Homme occidental n'a plus devant lui que des idéaux troubles et s'il veut se donner des faux airs de héros, il n'a plus qu'à souffrir en perdant des kilos.

Puisque vous ne croyez pas ces joyeux prophètes qui chantent à voix perdue : « soyez petits, soyez gros, soyez maigres mais soyez vous », commencez votre régime dès ce soir, mais dans la fête et que tout le monde, ni vu ni connu, le fasse en même temps.

MENU A : POISSON

Salade de moules

2 litres de moules, 1 oignon, persil haché, 1 cuillère à soupe de moutarde, 1 jaune d'œuf, 1/2 citron, 1/2 boîte de lait Gloria, 1 pincée de curry, sel, poivre.

La sauce :
- Mélangez le jaune d'œuf, la moutarde et le lait.
- Ajoutez le jus de citron, le sel, le poivre, l'oignon et le persil hachés. Mélangez énergiquement jusqu'à ce que la sauce devienne mousseuse.

Les moules :
- Dans un faitout, mettez vos moules grattées et triées. Faites-les ouvrir à feu vif, telles quelles.
- Enlevez les coquilles, mettez les moules dans le plat de présentation et nappez-les avec la sauce.

Filets de lotte à la ciboulette

8 filets de lotte moyens, 1 bouquet de ciboulette hachée, 1 jaune d'œuf, 3 citrons, 1 litre de béchamel légère.

- Dans une grande casserole, pochez les filets de lotte dans 1 litre d'eau citronnée, 10 minutes.
- Préparez une béchamel légère avec 1 litre de lait écrémé, 1 pincée de farine, 1 noix de margarine, sel, poivre. Quand elle est prête, ajoutez-y un jaune d'œuf.
- Mettez les filets de lotte sur le plat de présentation chaud.
- Incorporez la ciboulette à la béchamel et nappez les filets de lotte.
- Servez accompagné de carottes sautées.

Ananas fourré

1 ananas moyen, 250 g de fruits divers, oranges, framboises, pêches, pommes, etc, 1 jus de citron.

● Coupez un chapeau au sommet de l'ananas et enlevez soigneusement la chair qui est à l'intérieur pour la diviser en cubes.
● Lavez et épluchez les fruits en petits cubes.
● Nappez-les d'un jus de citron, mélangez-les avec les cubes d'ananas et remettez le tout à l'intérieur de l'ananas (n'oubliez pas le chapeau). Laissez au réfrigérateur une bonne demi-heure avant de servir.

MENU B : LE PLUS HYPOCRITE

Œufs surprise

1 ou 2 œufs par personne.

- Faites durcir les œufs. Une fois qu'ils sont durs, fendez-les et retirez le jaune.
- Faites une sauce béchamel légère avec du lait écrémé.
- Incorporez les jaunes d'œufs à la sauce. Farcissez les moitiés de blancs d'œufs avec ce mélange.
- Préparez une pâte : 6 cuillères à soupe de farine, 6 cuillères à soupe de maïzena, 1 pincée de sel, 1 peu d'eau.
- Mélangez ces ingrédients de façon à obtenir une pâte de la consistance d'une pâte à beignet.
- Plongez les œufs un par un dans la pâte et ensuite dans de la friture bien chaude.
- Dressez les œufs surprise sur une serviette et servez-les accompagnés d'un coulis de tomates.

Pot-au-feu

1 kg de bœuf (macreuse et gîte-gîte), 1 os à moelle (sans moelle), 4 poireaux, 4 navets, 8 carottes, 1 oignon piqué de 2 clous de girofle, 1 pied de céleri, 1 bouquet garni, sel, poivre.

- Lavez les poireaux et le céleri, épluchez les carottes, navets et oignons.

• Dans un grand faitout versez 4 litres d'eau, 1 poignée de gros sel et trempez-y la viande et l'os. Portez à ébullition en écumant le gras à la surface de l'eau.

• Laissez l'eau bouillir un bon quart d'heure et écumez encore.

• Ajoutez les carottes, l'oignon et le bouquet garni, puis 20 minutes plus tard, les poireaux, les navets et la branche de céleri. Poivrez. Le tout doit cuire 3 heures. N'oubliez pas de dégraisser le bouillon. Vous avez même droit à la moutarde et aux cornichons.

Poires flambées

4 poires Williams, 1 verre de vin blanc, 1 filet de kirsch.

• Pelez les poires. Coupez-les en deux. Creusez le centre pour enlever la tige.

• Mettez-les dans un plat pouvant aller au four et arrosez-les de vin blanc.

• Mettez-les à four chaud (thermostat 6 ou 7), 6 ou 7 minutes.

• Quand les poires ont absorbé presque tout le vin blanc, sortez les du four, arrosez-les de kirsch et flambez-les devant vos convives.

Joyeux régime!.

178

MENUS, HIVER ANTI-RHUME
POUR GOURMANDS MALADIFS

L'aphonie pour un chanteur, c'est terrible, mais le rhume pour un gourmand, c'est vraiment la fin des haricots.

Qu'y a-t-il de pire que cette infection injuste qui frappe à l'aveuglette mangeurs de conserves et amateurs de blanquette?

Le nez caduc et la langue triste, le gourmand désemparé se languit dans un univers d'images et de sons entremêlés. Dans la cacophonie de la réalité, pas la moindre senteur mystérieuse ne lui fait frissonner les papilles. Assis sur un banc, il regarde incrédule les hommes faire la chasse aux miasmes à coups de déodorants, attendant le retour d'une effluve de boulangerie.

Pour vous, lécheurs de fonds de casseroles, qui reniflez la vie, non seulement dans les cuisines mais partout où elle sent bon : dans les rues à brochettes ou à loukoums, dans les librairies, les caves, les lingeries, les nuques des femmes, les fêtes foraines ou les boîtes à bonbons, voici un menu anti-grippe et anti-rhume conseillé par un homme qui ne connut que l'ail pour tout antibiotique : Léon Daudet.

Quand vous sentirez les premiers symptômes de la maladie, suivez donc ces prescriptions en famille.

PREMIER JOUR

Au déjeuner : Aïlloli

Préparez un bol de mayonnaise normale et ajoutez-y une gousse d'ail pilée. Cette sauce accompagne des légumes divers cuits à la vapeur (carottes, navets, poireaux, pommes de terre, etc.).

DEUXIÈME JOUR

Au déjeuner : Bourride

• Préparez un bouillon de poisson comme pour la bouilla-baisse (voir table des recettes) en y ajoutant 1 verre d'eau.
• Mettez dedans un peu d'ailloli et laissez mijoter 5 minutes sans bouillir.
• Versez cette sauce dans un plat contenant des tranches de pain. Servez avec le poisson à part.

Au dîner : Soupe à l'ail

1 litre d'eau, 6 gousses d'ail, 1 pincée de thym, 3 œufs, 1 forte pincée de farine, sel, poivre, croûtons.

• Épluchez les gousses d'ail et faites-les cuire dans l'eau salée et poivrée environ 10 minutes.
• Passez les gousses d'ail au mixer et mélangez cette purée avec les œufs. Ajoutez à cela une pincée de farine.

• Remettez le tout dans l'eau de cuisson des gousses et laissez mijoter encore 10 minutes.
• Versez dans une soupière avec des croûtons dorés à la poêle préalablement.

TROISIÈME JOUR

Pot-au-feu matin et soir (voir table des recettes). Ajoutez simplement 2 vrais os à moelle.
Léon Daudet conseillait de manger une côtelette d'agneau en cas de guérison au bout du quatrième jour. Mais l'important, c'est l'ail, puissant antibiotique quand même plus agréable que les gélules. Ces prescriptions gourmandes ne sont pas vraiment faites pour les amoureux mais il suffit pour purifier l'haleine de quelques grains de café.

C'EST LE MOIS D'AOÛT
ET VOUS N'AVEZ PAS PU,
OU PAS VOULU,
PARTIR EN VACANCES...

C'est pour vous une jouissance profonde de ne pas faire partie de ce troupeau de visages pâles qu'un bison plus futé qu'on ne le croit conduit à travers autoroutes et nationales vers les réserves balnéaires. (Maigre revanche pour le peuple iroquois.)

Amusé, vous regardez à la télé le spectacle navrant des descendants des joyeux pionniers de 1936 embouteillés et écumants de rage. Il faut les voir distribuer force taloches aux mioches qui ont le malheur de ne pas avoir de lanterne en guise de vessie et ont envie de faire pipi. Il faut les entendre rabrouer les grands-mères du Front populaire, qui rabâchent que les départs en vacances, c'était quand même mieux de leur temps.

La ville et l'été sont à vous...

Sans valise ni filet à crevettes, invitez quelques amis et voyagez dans vos assiettes.

N'oubliez pas les cassettes couleur locale et le parasol. Et envoyez une carte postale à votre chef de bureau qui lui, le pauvre, n'est jamais qu'à Concarneau.

MENU A : MOYEN COURRIER
Salade Costa Brava★★★

Salade : 2 poivrons rouges, 2 poivrons verts, 1 petit melon de 250 g, 8 gambas ou 250 g de crevettes roses cuites, quelques feuilles de basilic.

• Coupez les poivrons en deux, enlevez les pépins et faites-les griller avec un peu d'huile (il faut que la peau soit boursouflée).
• Épluchez-les en lamelles et disposez-les sur un plat.
• Faites griller les gambas ou les crevettes cuites dans une poêle huilée (à l'huile d'olive). Laissez-les refroidir et mettez-les à cheval sur les poivrons.
• Coupez le melon en deux. Épépinez-le et à l'aide d'une cuillère à racine, découpez des petites boules dans sa chair. Disposez-les sur les ingrédients précédents. Nappez cette salade de la sauce suivante.

Sauce Costa Brava : 1 grappe de raisin muscat, 1 citron vert, 3 cuillères à soupe d'huile d'olive, sel, cayenne.

• Épluchez les raisins lavés et passez les grains au mixer.
• Filtrez le jus à l'aide d'un chinois.
• Mélangez ce jus à un jus de citron vert pressé. Salez. Poivrez.
• Ajoutez peu à peu un verre d'huile d'olive en fouettant fortement.

Moussaka

350 g de viande hachée (agneau de préférence), 2 aubergines, 1 gros oignon, 4 tomates, 2 œufs, 100 g de gruyère râpé, 1 pot de crème fraîche, 1 noix de beurre, huile, sel, poivre.

- Lavez et séchez les aubergines. Coupez-les en rondelles et mettez-les à dégorger avec une pincée de sel.
- Pelez et épépinez les tomates.
- Pelez et émincez les oignons.
- Dans une poêle chaude huilée, faites blondir les aubergines rincées. Retirez-les et faites blondir les oignons.
- Quand l'oignon est blond, ajoutez la viande hachée, laissez-la cuire une dizaine de minutes, ajoutez les tomates, salez, poivrez et laissez mijoter encore quelques minutes.
- Mettez une couche d'aubergines dans un plat à gratin bien beurré.
- Mettez dessus une couche de viande à l'oignon, nappez avec un peu de jus. Recouvrez d'une autre couche d'aubergines et ainsi de suite jusqu'à épuisement des aliments.
- Mettez à four doux environ 40 minutes.
- Préparez une sauce dans un bol avec les œufs, la crème fraîche et le gruyère râpé. Retirez la moussaka du four et nappez-la de cette sauce. Remettez au four 20 à 25 minutes.

Meringues italiennes

2 blancs d'œufs, 100 g de sucre, 1 dl d'eau, 1 gousse de vanille.

- Montez les blancs en neige très ferme.
- Mettez l'eau, le sucre et la vanille dans une casserole. Faites cuire à feu vif à la limite de la caramélisation (il ne faut pas que ce sirop blondisse).
- Versez ce mélange sur les blancs en neige, fouettez énergiquement (attention, ça peut brûler les doigts).
- Faites des petits tas allongés et laissez refroidir.

Poisson à la tahitienne

750 g de lieu jaune, 2 oignons émincés, 2 tomates, 2 carottes, 3 citrons, lait de coco, sel, poivre.

• Lavez soigneusement le poisson. Enlevez la peau. Coupez-le en petits dés et laissez-le macérer 2 bonnes heures dans le jus de 3 citrons et une pincée de gros sel. Le jus de citron doit devenir blanc et légèrement mousseux. Mélangez de temps à autre.

• Au bout de ce temps, égouttez, rincez les dés de poisson et faites-les tremper dans du lait de coco. Ajoutez des tomates coupées en carrés, des carottes râpées, et des oignons émincés. Poivrez avec délicatesse. *Iorana Arue!*

Cailles Acapulco

4 cailles, 50 cerises, 4 pêches, 1 verre de vin blanc sec, 1 filet de cognac, 1 morceau de sucre, 1 pincée de cannelle, 1 tablette de bouillon de volaille, sel, poivre.

• Dénoyautez 40 cerises et faites un jus avec les 10 autres. Réservez-les.

• Épluchez et dénoyautez les pêches en les coupant en deux.

• Pochez-les en les mettant 10 minutes dans l'eau bouillante.

• Dans un faitout, faites revenir les cailles salées et poivrées 5 minutes à feu vif.

• Quand elles sont dorées partout, flambez-les avec un filet de cognac.

• Ajoutez le vin blanc, le fond de jus de cerises, les pêches, les cerises, la tablette de bouillon de volaille, 1 pincée de cannelle, le morceau de sucre.

- Baissez le feu. Recouvrez le faitout et laissez mijoter 10 minutes.
- Servez en disposant par assiette une caille, 2 moitiés de pêche et 10 cerises. Nappez avec la sauce.

Coupes brésiliennes

200 g de chocolat bitter, 1/2 verre de lait, 80 g de beurre, 1 cuillère à soupe de curaçao, 4 œufs, 150 g de sucre, 1 petite tasse de café.

- Dans un récipient, mettez 4 jaunes d'œufs et le sucre. Fouettez pour obtenir une mousse blanche.
- Dans une casserole, faites fondre très doucement le chocolat.
- Ajoutez-y le curaçao, le café. Mélangez.
- Versez tout ceci dans le récipient contenant les œufs fouettés.
- Montez les blancs en neige et incorporez-les au mélange précédent.
- Versez cette préparation dans des coupes individuelles et laissez au réfrigérateur 3 heures.
- Décorez au moment de servir avec une cerise confite et de la pistache pilée.

WEEK-ENDS LUBRIQUES

Avec un copain, vous avez réussi à draguer deux créatures plantureuses et vous les emmenez dans votre maison de campagne. Malheureusement, vous êtes plus doués pour les claquettes que pour l'omelette.

Vous comptiez sournoisement sur vos belles pour prendre culinairement parlant en main l'intendance. Manque de chance, elles ne savent rien faire, mais alors rien du tout, ni cuire un steak, ni éplucher un chou! Je sais bien que la « bouffe » n'est pas le but de ces journées champêtres, mais l'amour, ça creuse. Vous n'allez quand même pas rester deux jours à faire des galipettes sans reprendre des forces.

Si, aux abois, il vous prend l'envie (ô chimères citadines!) de traire une vache pour votre petit déjeuner ou d'écraser une poule qui picore sur le chemin, laissez tomber. Les indigènes du coin, fusil à gros sel à la main, vous feraient comprendre que la jungle c'est au sud du Vexin.

Pour vous éviter à la fois de faire face à une jacquerie légitime et d'avoir l'estomac dans les talons entre deux parties d'édredon, voici quelques suggestions campagnardes qui vous aideront à vivre, un week-end alimentairement autarcique en toute lubricité.

Poitrine roulée

1 kg de poitrine de bœuf, 6 petits oignons, 4 carottes, 4 branches de céleri, 2 verres de vin rouge, 1 tablette de bouillon de bœuf, 1 cuillère à café de maïzena, 1 clou de girofle, sel, poivre.

- Mettez la viande à mariner dans le vin rouge, 3 heures. Pendant ce temps je sais ce que vous allez faire petits voyous!
- Pelez les carottes et coupez-les en rondelles.
- Lavez et coupez le céleri en carrés.
- Épluchez l'oignon.
- Retirez la viande de la marinade et après l'avoir égouttée, mettez-la dans un faitout huilé très chaud. Saisissez la viande sur toutes ses faces.
- Ajoutez le vin de la marinade, les légumes, la tablette de bouillon, le clou de girofle. Salez. Poivrez. Et laissez à feu doux (thermostat 6), 3 heures, au four.
- Au moment de servir, diluez la maïzena dans un bol d'eau et mélangez-la à la sauce du faitout. Enlevez le clou de girofle. Servez la sauce à part.

Rôti de veau au poivre vert

1,500 kg de rôti de veau, 2 verres de vin blanc, 2 cuillères à soupe de poivre vert (en grains), 1 filet de cognac, 1 noix de beurre, 1 petit pot de crème fraîche, sel, poivre gris.

- Parsemez votre rôti de la moitié du poivre vert écrasé.
- Mettez-le dans un faitout beurré et faites-le dorer sur toutes ses faces, 10 minutes à feu vif.

• Ajoutez l'autre moitié de poivre vert, baissez le feu et versez le vin blanc dans le faitout. Salez et laissez cuire environ 1 heure (n'oubliez pas le couvercle).

• Mettez le rôti dans un plat et ajoutez au jus de cuisson la crème fraîche et le filet de cognac. Mélangez et laissez sur le feu 3 minutes.

• Nappez le rôti avec cette sauce.

Voilà un mets qui vous redonnera de l'ardeur!

Côtes de porc coquelicot

3 côtes de porc, 4 poignées de riz, 1 boîte de sauce tomate, 6 cornichons, thym, laurier, 1 piment rouge, 2 oignons, sel, poivre.

• Épluchez et émincez les oignons et faites-les dorer dans une poêle. Mettez-les à part.

• Dans une casserole d'eau frémissante salée, jetez les 4 poignées de riz. Laissez cuire 10 minutes.

• Pendant ce temps, dans une petite casserole, versez le contenu de la boîte de sauce tomate avec 1/2 verre d'eau, le thym, le laurier, le piment haché, le sel, le poivre et faites mijoter à feu doux.

• Désossez les côtes de porc. Coupez-les en petits carrés et faites-les cuire à feu vif dans la poêle huilée où vous avez fait dorer les oignons.

• Coupez les cornichons en rondelles et ajoutez-les à la sauce tomate. Ajoutez également les oignons.

• Égouttez le riz, mélangez-le avec les 3/4 de la sauce précédente de laquelle vous aurez enlevé le thym et les feuilles de laurier, et faites-en une boule au centre d'un plat de présentation.

• Disposez les carrés de côtes de porc sur cette boule. Ajoutez le restant de la sauce.

PETITS MATINS PITOYABLES

Vous vous étiez pourtant pouponné pendant une heure; refaisant vingt fois votre nœud de cravate, mesurant de dos, de face et de profil l'effet hypothétique de votre veste d'une élégance toute acrylique.

Vous espériez passer une nuit folle à danser, à faire la fête, avec au bout l'indispensable apothéose : une rencontre sensuelle. Au début de la soirée, vous regardiez la grande blonde aux yeux verts avec une jupe fendue, à la fin, vous auriez bien embarqué la petite grosse en jeans, mais un autre plus rapide que vous vous l'a soufflée.

Ah! La vie de séducteur n'est plus ce qu'elle était! Fini le temps où Don Juan pouvait promettre des châteaux qu'il ne possédait pas. Au royaume de la drague, toute les bassesses sont permises et les femmes se pâment pour des gigolos et des branchés qui ne savent même plus danser le slow.

Vous avez retrouvé dans une boîte un groupe d'amis avec lesquels vous prenez le verre de la déroute.

Quatre heures du matin. C'est l'heure fatidique où le joyeux célibataire se laisse aller à la mélancolie, où le P.-D.G. qui rêvait d'être pianiste regrette d'avoir fait l'E.N.A., où l'empereur de la saucisse pleure sa misérable vie de magnat.

Pour vous qui avez l'alcool triste, voici quelques plats requinquants que vous pourrez partager avec des copains prêts à supporter vos confidences.

190

Gratinée des alcolos

3 gros oignons, 1 litre d'eau, 1 verre de porto, 8 croûtons, 100 g de gruyère râpé, farine, sel, poivre.

- Épluchez et hachez très finement les oignons.
- Faites-les roussir dans une cocotte. Saupoudrez-les de farine.
- Versez l'eau et le verre de porto dans la cocotte. Portez à ébullition. Salez. Poivrez.
- Pendant ce temps, faites dorer vos croûtons dans une poêle.
- Mettez les croûtons dans une soupière pouvant aller au four. Versez dessus le contenu de la cocotte et ajoutez le gruyère râpé.
- Mettez sous le grill une dizaine de minutes.

Pâtes à la vodka

1/2 paquet de nouilles, 1 petit pot de crème fraîche, 1 petite boîte de sauce tomate (Cirio de préférence), 1 verre à moutarde de vodka rose pimentée, 1/2 piment-oiseau émietté, huile d'olive, parmesan sel.

- Faites cuire vos nouilles (spaghetti ou macaroni).
- Dans une casserole huilée (quelques gouttes), versez la crème fraîche et la sauce tomate. N'oubliez pas le piment. Faites bouillir.
- Ajoutez la vodka mais faites-la chauffer sans la laisser bouillir. Mettez une pincée de parmesan hors du feu et mélangez cette sauce avec les pâtes égouttées.

Omelette Bacchus

5 œufs entiers, 1 nuage de lait, 1/2 verre à cognac de rhum, 50 g de sucre en poudre.

- Battez vos œufs et ajoutez le nuage de lait, le filet de rhum et le sucre. Fouettez énergiquement.
- Versez ce mélange dans une poêle chaude beurrée.
- Repliez l'omelette au moment de servir.
- Vous pouvez la flamber repliée avec un autre filet de rhum. Mais dans votre état, est-ce bien raisonnable?

V

6 A 7000 PERSONNES

« Le pluriel ne vaut rien à l'homme et sitôt qu'on est plus de quatre, on est une bande de cons. »

Que ces vers lucides de Georges Brassens ne vous empêchent pas de manger intelligemment.

VOUS ENTERREZ
VOTRE VIE DE CÉLIBATAIRE

Avant de marcher sur des patins, de s'assoupir pour de longues années devant un poste de télévision qui grésille, de ne plus faire l'amour que le samedi et d'aller déjeuner chaque dimanche chez belle-maman, il est d'usage que le célibataire mal endurci claque en une nuit ses grains de folie.

Danser, boire, rire, chanter, voire pour les garçons aller dans un hôtel de passe avec des joyeux compagnons, voilà la traditionnelle soirée de celui ou de celle qui sait qu'une dure vie de concessions l'attend.

Vue sous cet angle, on comprendra que les nouvelles générations dont le romantisme latent ne fait pas forcément bon ménage avec une monogamie absolue, hésitent à élever le taux des mariages et à redresser la courbe de natalité.

Il suffirait peut-être de remplacer des fêtes désuètes comme la Sainte-Catherine ou la Chandeleur par une Sainte-Liberté, nuit pendant laquelle les gens mariés pourraient enterrer jusqu'à l'aube leur vie de couple, une fois dans l'année. Il y a gros à parier que les divorces seraient moins nombreux. Mais les législateurs sont des personnes trop timorées pour instituer cette fête pourtant plus utile à la nation que la Sainte-Barbe. Pour vous qui n'avez pas attendu ce soir pour rire la vie à belles dents et qui n'avez pas besoin d'une dernière bouffée de liberté, voici deux menus à partager avec votre future moitié et vos amis intimes.

MENU A : DÉSOPILANT POUR 6 PERSONNES :

Salade demi-deuil

10 grosses endives, 60 g de truffes en lamelles.

Lavez et coupez les endives en lamelles. Mélangez-y les truffes et nappez avec une vinaigrette au citron. Surtout pas de vinaigre!

Magrets de canard corde au cou

3 magrets de canard, de la ficelle, 4 plaquettes de bouillon de volaille, 3 carottes, 3 poireaux, 2 navets, 1 branche de céleri, sel, poivre, 1/2 clou de girofle, bouquet garni.

• Ficelez les magrets de canard dans le sens de la longueur et de la largeur.
• Laissez 6 cm de ficelle pour vous permettre ultérieurement de les attacher à la queue du faitout (ceci pour éviter qu'ils ne touchent au fond).
• Préparez 3 litres d'eau avec 4 cubes de bouillon de volaille.
• Faites cuire vos légumes, comme pour un pot-au-feu, 30 minutes. Salez. Poivrez.
• Les légumes étant pratiquement cuits, plongez les magrets de canard dans le bouillon à ébullition. Laissez cuire 8 à 10 minutes.
• Égouttez-les ainsi que les légumes et disposez dans le plat de service avec la ficelle.
• Dégustez avec du gros sel.

Bébés

5 blancs en neige, 50 g d'amandes et noisettes grillées en poudre, 90 g de sucre, 40 g de farine, 40 g de beurre fondu.

• Mélangez tous ces ingrédients pour obtenir une pâte que vous étendez sur une plaque beurrée et farinée en découpant des petites galettes ovales.

• Faites cuire ces ovales à four chaud (thermostat 8); décollez-les et laissez-les refroidir.

• Assemblez-les, deux par deux, avec un peu de pâte de pralin pilé. Recette de Pellaprat.

Saint-Jacques vierges ★★★

18 noix de Saint-Jacques, 20 g de gingembre frais et émincé,
2 jus de citron, 1 petit pot de crème fraîche, sel, poivre.

● Coupez en tranches minces les noix de Saint-Jacques. Soit
4 à 5 lamelles dans chaque noix.
● Émincez le gingembre en julienne fine.
● Mettez une cuillère à soupe de crème fraîche dans le plat
de présentation. Étalez-la.
● Disposez sur cette crème, les noix de Saint-Jacques salées
et poivrées. Parsemez-les de gingembre et nappez le tout
avec le jus des 2 citrons. Laissez mariner environ 20 minutes
et servez très frais.
Voilà une entrée blanche qui sous ses allures virginales cache
un tempérament explosif!

Blanquette bourgeoise

600 g de veau : 1/3 épaule désossée, 1/3 tendron, 1/3 haut de
côtes découpées en cubes, 3 carottes, 3 navets, 2 oignons,
200 g de champignons de Paris, 1 cuillerée à soupe de crème
fraîche, 1 jaune d'œuf, persil, sel, poivre.

● Dans un faitout, mettez vos morceaux de blanquette à
cuire à feu doux avec 3 carottes, 3 navets épluchés et coupés
en quartiers et 2 oignons émincés. Salez, retournez les
morceaux. Ajoutez une pincée de farine et laissez blondir
une dizaine de minutes.

- Recouvrez d'eau ajoutez 1 bouquet garni et laissez cuire 1 heure 30 à feu doux (25 minutes dans un autocuiseur).
- Pendant ce temps, lavez et émincez les champignons. Faites-les revenir à la poêle avec une pincée de persil haché. Réservez-les.
- Quand la blanquette est cuite, enlevez-la du faitout et mettez-la avec les champignons.
- Ajoutez une bonne cuillère à soupe de crème fraîche à la sauce. Augmentez le feu et faites-la réduire de moitié. Rajoutez hors du feu un jaune d'œuf si elle n'est pas assez onctueuse.
- Passez-la au chinois. Nappez le veau et les champignons. Servez avec du riz.

Œufs à la neige

6 personnes : 6 œufs, 1 litre de lait, 150 g de sucre en poudre, 1 bâton de vanille.

- Séparez les blancs des jaunes d'œufs.
- Battez les blancs en neige très ferme en y incorporant une cuillère à soupe de sucre.
- Portez le lait à ébullition. N'oubliez pas d'y tremper le bâton de vanille.
- Formez 6 boules avec les blancs d'œufs et plongez-les dans le lait en les retournant.
- Lorsqu'elles sont très fermes, sortez les boules du lait (avec une écumoire) et mettez-les à part.
- Mettez les jaunes d'œufs et le reste du sucre dans une casserole, versez petit à petit le lait dessus en fouettant énergiquement. A feu doux 8 minutes.
- Versez cette crème (anglaise) dans le plat de présentation et disposez vos boules de neige dessus. Mettez au réfrigérateur.

SOIRÉE TRICOLORE

Si votre mari a invité quelques copains à regarder un match de foot à la télé, le plus raisonnable serait de ne pas mettre les petits plats dans les grands car il n'y aura aucun remerciement; tout tendus qu'ils seront devant leur poste, redoutant une toile de notre libero ou hurlant « à l'assassin » au moindre tacle d'un joueur de l'équipe adverse.

Mais comme vous êtes une passionnée de cuisine, je suis sûr que vous n'allez pas pouvoir vous empêcher de faire du zèle.

Attention aux sauces car elles risquent fort d'éclabousser le plafond quand les Français marqueront le but salvateur.

Ne faites pas de remarques désobligeantes du style : « je trouve les Allemands plus sexy » et vous êtes priée de crier à l'injustice si l'arbitre (le petit homme habillé comme pour un enterrement d'été) siffle un penalty contre nous (parce que les joueurs, c'est nous).

Sachez, ignorante que vous êtes, qu'une mi-temps dure quarante-cinq minutes. Considérant qu'il y en a deux plus quinze minutes d'arrêts de jeu, vous en avez pour une heure quarante-cinq à vivre les transes de votre mari supporter qui regarde la France courir au champ d'honneur.

La meilleure solution serait d'attendre la mi-temps pour mettre à cuire un plat qui doit mijoter 45 minutes.

Ainsi, pas la peine de regarder l'heure, l'arbitre, au coup de sifflet final, vous indiquera que le temps de cuisson est terminé. Vous aurez également l'idée fraternelle de concocter des mets qui réchaufferont le cœur de vos invités, si par malheur leur équipe a perdu.

Coq Hidalgo★★★

Pour 6 personnes : 1 jeune coq découpé en morceaux, 500 g de petits oignons, 500 g de poivrons, 1 feuille de laurier, 1 branche d'estragon, 2 gousses d'ail, 1 cuillère à soupe de moutarde, 5 tomates, 1 bouteille de vin de Bordeaux, sel, poivre. Cuisson : 45 minutes.

• Épluchez les oignons et laissez-les en forme de ballon. Coupez les poivrons en forme de lacets.
• Salez et poivrez vos morceaux de coq et faites les dorer dans une poêle enduite d'huile chaude 2 à 3 minutes à feu vif.
• Coupez les tomates en quatre et retirez les pépins.
• Faites revenir les tomates, l'ail haché et les oignons dans une cocotte avec 1 cuillère d'huile d'olive. Salez, poivrez.
• Ajoutez la cuillère de moutarde, la feuille de laurier et la branche d'estragon. Mélangez.
• Jetez les morceaux de coq dans la cocotte (c'est un comble!). Mouillez avec le litre de vin de Bordeaux et laissez frémir à feu doux 45 minutes.

Canard Henri Michel***
ou
compote de canard nantais
au champagne

Pour 8 personnes : 2 canards, 2 oignons, 2 carottes, 1 bouquet garni, 6 jaunes d'œufs, 1 petit pot de crème fraîche, 75 g de beurre, 1/2 bouteille de champagne brut, 1 kg de pois mange-tout. Temps de préparation : 45 minutes.

Si vous n'aimez vraiment pas le football, passez donc la deuxième mi-temps à cuisiner mais ne faites pas trop de bruit avec vos casseroles.

• Faites rôtir 30 minutes les canards salés et poivrés accompagnés des oignons et des carottes épluchés, coupés en gros dés, ainsi que du bouquet garni.

• Arrosez d'un verre d'eau toutes les 10 minutes.

• Pendant ce temps, séparez les blancs des jaunes d'œufs et mettez ces derniers dans une grande casserole. Versez dessus la moitié d'une bouteille de champagne et mettez à feu doux 7 à 8 minutes, tout en fouettant pour obtenir une mousse onctueuse.

• Incorporez la crème et le beurre. Salez, poivrez. Laissez encore à feu doux jusqu'à ce que le mélange soit homogène. Réservez cette sauce jaune au chaud, dans une casserole au bain-marie.

• Lavez les pois mange-tout, faites les fondre dans une noisette de beurre et 2 verres d'eau. Salez et poivrez, laissez 10 minutes à feu doux.

• Découpez le canard.

• A la fin du match, nappez chaque assiette avec un peu de sauce jaune et disposez 2 morceaux de canard au centre et 2 cuillères à soupe de pois mange-tout de chaque côté.

Coupes cocorico

6 à 8 personnes.
500 g de fraises, 3 pommes, 3 poires, 1/2 verre de curaçao
bleu, crème chantilly, 1 jus de citron.

• Épluchez vos fruits (enlevez les pépins). Citronnez-les et passez-les au mixer séparément.

• Mélangez 1/2 verre de curaçao bleu avec la purée de pommes.

• Mettez chacune des 3 mousses dans un récipient individuel et incorporez dans chacun d'eux le même volume de crème chantilly. Mélangez.

• Prenez des grands verres blancs et, par couches successives, en commençant par la mousse au curaçao, puis la mousse de poires, puis la mousse de fraises, remplissez-les.

• Mettez ces coupes bleu, blanc, rouge, symboles des exploits sportifs de notre beau pays, au réfrigérateur au moins une demi-heure.

DES INVITÉS ARRIVENT
ALORS QUE VOUS LES AVIEZ
COMPLÈTEMENT OUBLIÉS!

Votre mari (toujours lui) a lancé une invitation à la légère et à la cantonade, un soir de générosité éthylique.

Les « invités » sonnent à la porte alors que vous êtes déjà en train de grignoter quelques en-cas devant un film d'épouvante. J'imagine votre stupeur, mais que faire?

Leur dire qu'il ne faut pas tenir compte de ce que votre mari raconte quand il a un peu trop forcé sur le beaujolais? Pas très élégant. Planter votre étourdi qui jure avec une mauvaise foi rougissante qu'il n'a jamais invité qui que ce soit et vous enfermer dans votre chambre? C'est tentant mais ils sont là, avec leurs bouquets de fleurs et leurs pâtisseries, touchants de candeur, qui se confondent en excuses d'être arrivés à l'heure.

Ne laissez pas flotter plus longtemps le malaise, ou c'est vous qui passerez pour une punaise; une acariâtre casanière que ce pauvre Raoul a bien du courage de supporter.

Dans un premier temps, soyez hypocrite, culpabilisez-les un peu pour vous dédouaner en leur faisant croire que vous les avez attendus vainement pour le déjeuner et que vous êtes en train de finir les restes. Ensuite, faites semblant d'être ravie de ce malentendu, sans trop en rajouter, sans quoi vous n'êtes pas près d'aller vous coucher.

Si vous n'avez dans vos placards et votre réfrigérateur aucun ingrédient, je suis obligé de vous laisser vous dépatouiller. Mais s'il vous reste quelques bricoles, vous êtes sauvée, parole!

Petits toasts aux oignons

- Faites dorer des tranches de mie de pain dans une poêle beurrée (2 par personne).
- Disposez-les dans un plat pouvant aller au four et recouvrez-les de rondelles d'oignons et d'une cuillère à café de mayonnaise (toute faite).
- Mettez à four très chaud (thermostat 8), 5 minutes.

Sardines en salade

2 boîtes de sardines, 3 œufs, quelques olives vertes, 4 pommes de terre, 1/2 citron, salade émincée (laitue ou endives), quelques anchois ou harengs en boîte, 2 carottes.

- Faites cuire les pommes de terre à l'eau. Épluchez-les et coupez-les en dés.
- Faites durcir des œufs et coupez-les en lamelles.
- Râpez les carottes et nappez-les d'un 1/2 jus de citron.
- Émincez vos restes de salade.
- Enlevez la peau et les arêtes des sardines et essayez de les couper en petites lamelles.
- Coupez les olives dénoyautées en deux.
- Mélangez dans le saladier une partie de la salade émincée, une partie des carottes râpées, des pommes de terre et des œufs avec de la vinaigrette. Couvrez avec une partie des sardines. Même opération pour le reste. Décorez le dessus avec les olives et les filets d'anchois.

Macaronade

500 g de macaroni, 6 tomates, 1 gros oignon, restes de viande, 1 gousse d'ail, sel, poivre, huile.

- Épluchez l'ail et l'oignon.
- Lavez et coupez les tomates en quartiers.
- Dans une casserole huilée, faites revenir l'oignon coupé en rondelles, ajoutez-y les tomates et l'ail haché. Salez, poivrez et laissez mijoter 20 minutes.
- Faites cuire vos macaroni 15 minutes à l'eau bouillante salée.
- Hachez vos restes de viande et réchauffez-les dans la casserole contenant le mélange à la tomate.
- Égouttez les macaroni et mélangez le tout.
- Servez dans un plat chaud.

Fondue au camembert

S'il ne vous reste plus qu'un camembert entamé coulant :

- Faites-le fondre sans la croûte dans une casserole contenant 2 ou 3 verres d'eau. Il faut que la pâte soit onctueuse mais pas trop liquide. S'il vous reste un peu de vin blanc, remplacez
1/2 verre d'eau par ce dernier.
- Dans une autre casserole, préparez 1 litre de béchamel légèrement muscadée.
- Quand la béchamel est prête, mettez un chinois au-dessus de la casserole et versez la pâte au camembert doucement en remuant. Salez, poivrez. Laissez mijoter quelques minutes à feu très doux.

Brochettes sauve qui peut

S'il ne vous reste que 2 malheureux morceaux de viande coupez-les en cubes, intercalez les tranches d'oignon, de lard, de saucisses, de poivrons, bref, avec ce qu'il y a dans votre réfrigérateur.
Quand y'en a pour deux, y'en a pour six!

Kugelhoff

300 g de farine, 1/4 de litre de lait, 2 œufs, 50 g de sucre, 20 g de levure, 100 g de beurre, 1 zeste de citron, 1 pincée de sel.

• Dans un récipient mélangez les œufs et le sucre puis ajoutez la farine, le lait, le beurre, le zeste de citron et la pincée de sel. Mélangez et laissez reposer 1 demi-heure.
• Beurrez un moule à gâteau et mettez la pâte reposée dedans. Laissez cuire à four moyen (thermostat 6 ou 7), 45 minutes.

Salade de fruits bâtarde

Mélangez sans complexe les fruits frais dont vous disposez avec des fruits en boîte égouttés, des raisins de corinthe etc.
Nappez-les avec du jus d'orange sucré.
Ajoutez un filet de kirsch ou de Grand Marnier.

PÊCHE MIRACULEUSE

En vingt ans de pêche, Robert n'avait réussi à ramener dans son panier qu'une vague tanche et quelques pauvres ablettes.

Vous le regardiez revenir bredouille avec tendresse et compassion. Vous fermiez les yeux sur ses impostures, quand il déposait sur votre table de la petite friture où un poissonnier indélicat avait oublié une branche de persil. Vous le laissiez raconter ses prises extraordinaires à des Parisiens ébahis, allant même jusqu'à le défendre avec acharnement quand, suspecté de mythomanie, il disait : « demandez à ma femme si je mens! »

Fanfaronnades sans doute inutiles mais comment expliquer aux imbéciles « non pêcheux » que l'important c'est la saine plénitude de ces heures silencieuses où l'on grille sa cigarette matinale en respirant à pleine solitude; c'est l'instant grandiose où « quelque chose » mord à l'hameçon. Combat palpitant de l'homme et du poisson, ne fût-ce qu'un gardon.

Bien sûr, ce lyrisme hugolien échappe aux mongoliens de la ville qui ne voient en notre pêcheur bredouille qu'un descendant dégénéré des princes de la mer de Saint-Pierre à Hemingway.

Eh! bien, aujourd'hui ils peuvent tous ravaler leurs sarcasmes, Robert a fait une pêche miraculeuse : la bourriche, les poches, les sacoches de la mobylette pleines de poissons légendaires (il a même réussi à attraper « Lulu » la grosse truite goguenarde et malicieuse qui le narguait depuis des années). Le voilà enfin récompensé de sa tenacité. Après avoir fait le tour du village, pris des photos viriles où Robert, torse bombé et canne fière, posera devant ses trophées, essayez tout de même de ne pas jeter son butin sous prétexte que vous aviez décidé de faire vendredi gras.

208

Pauchouse

Pour 6 à 8 personnes : La pauchouse est une bouillabaisse préparée avec des poissons de rivière : anguilles, tanches, perches, carpes et brochets si possible.

Ail, thym, 1 litre de vin blanc sec pour 2 kg de poisson, 80 g de beurre, 1 bonne pincée de farine, sel, poivre.

- Nettoyez et écaillez les poissons. Coupez-les en morceaux. Séchez-les dans un torchon propre.
- Pilez 2 ou 3 gousses d'ail (selon la quantité de poisson) et faites-en un lit au fond d'une cocotte huilée. Ajoutez une pincée de gros sel, le poivre et le thym.
- Disposez les poissons sur le lit d'ail en mettant d'abord les tanches ou les anguilles.
- Versez le vin blanc dans la cocotte et portez à ébullition. (N'oubliez pas le couvercle.)
- A l'ébullition, ajoutez le beurre et laissez mijoter entre 20 et 25 minutes.
- Mettez les poissons dans le plat de présentation et nappez ceux-ci avec la sauce passée au chinois.
- La pauchouse se sert avec des croûtons dorés et aillés.

Bouillabaisse

Pour 6 à 8 personnes : 3 kg de poissons divers : barbue, rascasse, daurade, etc... 300 g d'oignons émincés, 2 échalotes émincées, 1 verre d'huile d'olive, 1 gousse d'ail écrasée, persil, fenouil, 2 litres de bouillon de poisson, 2 tomates, 2 feuilles de laurier, 1 clou de girofle, thym, sel, poivre, 1 jaune d'œuf, quelques langoustines et bouquets.

- Faites écailler et vider vos poissons par le poissonnier et coupez-les en tranches.
- Dans une casserole chaude, huilée (à l'huile d'olive), faites revenir les oignons, les échalotes, l'ail et le fenouil hachés.
- Quand ces ingrédients ont blondi, ajoutez le persil, le thym et le laurier hachés.
- Au bout de 5 minutes, ajoutez les tomates, le clou de girofle (remettez un peu d'huile d'olive si nécessaire) et 2 litres de bouillon de poisson.
- Trempez vos poissons et crustacés, salez, poivrez et portez à ébullition à feu vif.
- Dès l'ébullition, réduisez le feu et laissez encore 5 minutes.
- Enlevez les poissons et crustacés et mettez-les dans un plat chaud.
- Passez la sauce au chinois (pour enlever les arêtes, entre autres) et liez-la avec un jaune d'œuf. Versez-la dans le plat contenant les poissons et crustacés.

22, V'LA LES COUSINS DE BRETAGNE!

Coucou! Devinez qui est là, en bas, en train d'appuyez sur un klaxon qui claironne les premières notes du *Pont de la Rivière Kwaï*?

Hélas, ce n'est pas une vision, ce sont bien les cousins de Paimpol qui, profitant du passage du tour de France dans votre région, ont quitté la caravane pour vous faire une petite visite.

Les voilà qui débarquent avec valises et matelas pneumatiques et tandis que vous leur ouvrez la porte en disant avec un sourire coincé : « Quelle surprise! » vous pensez furtivement aux veinards qui n'ont pas de famille.

Pas la peine de vous excuser de ce que le ménage ne soit pas fait, un gamin a déjà laissé tomber une glace à la pistache sur la moquette. Inutile non plus de leur montrer à quel point votre appartement est exigu, tonton Marcel a tout prévu. En ce moment il est au chômage et il se fera une joie d'abattre un mur et de vous transporter la cuisine dans le garage.

Vous brûlez d'envie de leur indiquer le nom d'une petite pension bien coquette, mais votre mari ne vous le pardonnerait pas. La famille, c'est sacré. Surtout la sienne.

Qu'est-ce que vous voulez que je vous dise, vous êtes complètement piégée mais on ne peut quand même pas vous laisser dans la panade, pour ce soir en tout cas.

211

MENU A : SIMPLE MAIS FOLKLORIQUE

Paimpolaise

6 à 8 personnes.
4 têtes de poissons quelconques, 4 navets, 4 poireaux,
4 carottes, 1 petit chou, 1 petite boîte de haricots blancs,
2 grosses noix de beurre salé, 2 oignons, sel, poivre.

• Épluchez et lavez les légumes, coupez-les en petits cubes.
• Faites-les cuire dans de l'eau salée et poivrée une bonne demi-heure.
• Ajoutez les têtes de poissons et laissez à nouveau cuire demi-heure.
• Au bout de ce temps retirez les têtes de poissons et versez la soupe dans une récipient contenant le beurre salé.

Gigot aux anchois

6 à 8 personnes.
1 gigot d'agneau de 1 200 g, 6 filets d'anchois.

Piquez les filets d'anchois dans le gigot comme vous l'auriez fait avec de l'ail. Ne rajoutez rien d'autre. L'anchois en fondant à la cuisson, parfume et sale la viande. Laissez cuire à feu vif 40 minutes en arrosant de temps à autre. Servez accompagné de flageolets ou de haricots blancs.

Glace mimosa

1 glace à l'abricot ou à défaut à la vanille pour 6 personnes,
2 cuillères à café de sucre, 1 noix de beurre, 1 jus de citron,
6 abricots secs, 3 abricots frais.

Mettez les abricots secs hachés, le sucre, le beurre et le jus de citron dans une casserole et faites fondre le tout jusqu'à obtention d'un caramel souple. Laissez refroidir. Vous napperez la glace dans chaque coupe, avec ce caramel au moment de servir et vous décorerez avec de la pulpe d'abricot sur le dessus.

MENU B : COMPLIQUÉ MAIS EXPÉDITIF.

Croissants aux fruits de mer

6 personnes.
6 croissants : 6 noix de Saint-Jacques, 1 litre de moules, 200 g de crevettes grises cuites, 1 petite boîte de champignons, 1 verre de vin blanc, 2 échalotes, cayenne, sel.

• Grattez et lavez les moules. Faites-les ouvrir en les mettant dans une casserole avec 1/2 verre de vin blanc à feu vif.
• Égouttez les moules. Récupérez le jus de cuisson.
• Dans une poêle chaude beurrée, faites revenir les échalotes hachées et les noix de Saint-Jacques environ 5 minutes. Ajoutez les crevettes décortiquées, juste pour les réchauffer.
• Dans une casserole, faites un roux avec une grosse noix de beurre et une pincée de farine. Arrosez-le avec le jus de cuisson des moules et le 1/2 verre de vin blanc restant. Salez. Poivrez. Mettez à feu vif 5 minutes en remuant énergiquement avec une cuillère de bois.
• Quand la sauce est épaisse (si elle ne l'est pas, rajoutez une cuillère de crème fraîche) versez les moules, les coquilles Saint-Jacques, les crevettes et les champignons dedans. Laissez 2 minutes à feu doux. Rectifiez l'assaisonnement au besoin.
• Ouvrez vos croissants et fourrez-les avec ce mélange.

Filet de porc à l'orange

6 personnes.
800 g de filet de porc, 2 oranges, 2 carottes, 1 verre de vin blanc, 1/2 tablette de bouillon de bœuf, 1 filet de calva, 1 bouquet garni, 1 noix de beurre, sel, poivre.

- Dans un faitout, faites dorer le filet. Flambez-le avec du calva (ou du cognac).
- Ajoutez les carottes épluchées et coupées en rondelles, le bouquet garni. Salez. Poivrez.
- Mouillez avec le vin blanc et ajoutez la demi-plaquette de bouillon et 1/2 verre d'eau. Laissez mijoter environ 1 heure et demie.
- Pendant ce temps, pressez 1 orange et faites blanchir dans une petite casserole d'eau bouillante quelques lanières de la peau.
- Quand le filet est cuit, retirez-le du faitout et ajoutez le jus d'orange à la sauce qu'il contient. Laissez bouillir un instant.
- Découpez le filet en lamelles et nappez celles-ci avec la sauce à l'orange et aux carottes.
- Décorez avec les rondelles de l'autre orange et la peau blanchie.

Sans-gêne

6 personnes.
80 g de sucre en poudre, 30 g d'amandes effilées, 1 pincée de fécule, 3 jaunes d'œufs et 3 blancs, 1 filet de kirsh, 1 petite pincée de sel, 30 g d'amandes émondées, 3 cuillerés à soupe de confiture d'abricots.

- Mettez tous ces ingrédients dans un récipient et travaillez-les ensemble.

• Ajoutez les blancs montés en neige. Mettez le tout dans un moule beurré et fariné et mettez-le au four (thermostat 6), 45 minutes.

• Quand la cuisson est terminée, faites chauffer la confiture d'abricots, avec un peu d'eau.

• Abricotez le gâteau en l'imprégnant de cette confiture, et collez tout autour des amandes hachées et grillées.

Cette recette très simplifiée est celle de Darenne et Duval qui, eux, glaçaient le dessus avec un fondant jaune à l'ananas, décoraient le sans-gêne d'une petite fleur en glace royale et n'hésitaient pas à écrire au centre : « sans-gêne ». Vous pouvez faire de même avec une petite douille et du chocolat. En liqueur je vous conseille un alcool normand : le coup de pied au cul.

VOUS ÊTES AU BORD DU SUICIDE

Tout vous accable : les impôts, votre fils qui se teint les cheveux en vert et ne fait rien à l'école, votre usine sur le point de fermer, votre calvitie qui ne s'arrange pas, malgré les lotions du docteur Machtou, votre maîtresse qui vous a quitté pour un petit chanteur de folk-song minable et, pour corser le tout, un flic qui vous a collé un sabot de Denvers.

Vous prendrez la 22 long rifle plus tard. La solution à tous vos problèmes, c'est la CHOUCROUTE!.

On ne sait pas encore expliquer pourquoi, mais le plus faible taux de suicidés se trouve parmi les mangeurs de choucroute. Il y a je ne sais quoi dans celle-ci qui vous fait oublier que la vie de l'Homme est éphémère, que ses idées sont souvent des chimères, que sa petite existence d'insecte épargnant est dérisoire.

La choucroute est l'antidote parfait aux idées noires; elle chasse les fantômes de la mélancolie, occulte la peur de l'avenir, réduit les dimensions de la planète à une assiette et plonge l'Homme anxieux dans un présent sommaire où plus rien ne compte que la satisfaction de s'en mettre plein la lampe.

Généralement, l'Homme qui a mangé une bonne choucroute a envie d'un bon cigare, puis d'un bon digestif. Peu à peu, par volutes odorantes, la vie reprend hypocritement le dessus; et quand bien même la choucroute aurait été exécrable, le désespéré repenti serait tellement en proie aux soubresauts gastriques des plus déplaisants, qu'il songerait plus à guérir qu'à mourir.

Je ne sais pas si des savants étudient sérieusement la possibilité de faire de la choucroute en comprimés pour remplacer les neuroleptiques ou autres anti-dépressifs. En attendant, voici une recette que vous pouvez demander aux quelques amis qui vous restent de vous préparer.

216

Choucroute

6 personnes
Ingrédients : 1,5 kg de chou à choucroute, 2 carot-
tes, 1 gousse d'ail, 1 clou de girofle, 1 branche de
thym, 2 feuilles de laurier, 1 pincée de poivre
concassé, 1 gros oignon, quelques grains de geniè-
vre, 1/4 de litre de muscadet ou de riesling, sel,
poivre, 1 grosse noix de saindoux.
Viande : 1 morceau d'échine, 1 morceau de poitrine
fumée, 1 bout de lard frais, 1 jarret de porc,
6 saucisses de Strasbourg, 1 saucisson de Morteau,
des couennes de lard.

• Faites temper l'échine dans de l'eau froide 2 heures et lavez le chou à plusieurs eaux.
• Épluchez l'oignon et émincez-le. Épluchez l'ail et
hachez-le grossièrement. Épluchez les carottes et
coupez-les en rondelles.
• Faites revenir oignons, ail et carottes dans une
poêle huilée. Ajoutez le thym, le laurier, le poivre
concassé, le clou de girofle et mettez tous ces
ingrédients dans un torchon blanc très propre.
• Dans un grand faitout tapissé de quelques couennes de lard, mettez la moitié de la choucroute.
• Placez le torchon hermétiquement fermé contenant les ingrédients au centre. Calez-le avec l'échine, la poitrine fumée et le lard. Salez. Poivrez une
première fois. Ajoutez la moitié des grains de
genièvre et une noix de saindoux.
• Mettez l'autre moitié de choucroute et l'autre
moitié de grains de genièvre. Salez. Poivrez une
deuxième fois et versez le vin blanc sur le tout.
Recouvrez le faitout de papier aluminium.
• Laissez cuire à four doux 1 heure et demie.
• Faites cuire à part les saucisses de Strasbourg, le

saucisson de Morteau et le jarret, 10 minutes dans une casserole d'eau bouillante.

• Servez en enlevant bien sûr, le torchon contenant les ingrédients, ainsi que les couennes.

LES JOYEUX WEEK-ENDS COMMUNAUTAIRES

Au départ, c'est dans un grand enthousiasme collectif que vous avez décidé de vivre en communauté.

Chic! On va louer une vieille bicoque à la campagne : Francine, Paul, Ali, Samuel et les autres.

On rêve d'une vie où l'amitié et la solidarité seraient les piliers d'un nouvel Eden. On retape les murs en sifflant, on se passe les tuiles en chantant. Le visage plein de plâtre et les mains recouvertes de peinture, on casse la croûte dans les éclats de rire et on s'endort sur des matelas pneumatiques, épuisé mais béat.

Les choses commencent généralement à se détraquer quand la maison est finie. L'exaltation forcenée des bâtisseurs s'estompe, la poussière et les habitudes de chacun reprennent leur place et leurs droits : Paul ne fait jamais son lit. Ali reste pendant des heures dans les toilettes avec des tas de journaux et son paquet de cigarettes. Francine, quand elle ne ramène pas tous les chiens perdus de la région, se rapplique avec des zombies qui vivent chez vous trois ou quatre jours en pique-assiettes et s'en vont. Samuel ronfle avec assiduité, même les jours de sabbat. Quant à vous qui ne voyez pas ce qu'on pourrait vous reprocher, on vous a collée d'office à la cuisine.

Je ne sais pas si vous pourrez éviter que votre beau rêve de phalanstère se termine en eau de boudin, mais voici quelques suggestions « main à la pâte » pour que vous ne vous sentiez pas trop sœur popote.

Bœuf Cohn-Bendit

6 à 8 personnes
1 kg de bœuf (aiguillettes et pointes de culotte en tranches),
4 tomates, 4 carottes, 3 oignons, 1 gousse d'ail, 2 cuillères à
soupe de farine, 2 cuillères à soupe d'huile, 30 olives
dénoyautées, 1 feuille de laurier, 1/2 litre de bière blonde,
1 pincée de muscade, 1 pincée de piment de Cayenne, 1
pincée de sucre, sel.

• Que Paul épluche et émince les oignons. Qu'il hache l'ail très finement, qu'il épluche également les carottes et qu'il les coupe en rondelles.
• Dans une sauteuse, faites blondir l'ail et l'oignon. Saupoudrez de farine, versez-y la bière et portez à ébullition.
• Que Samuel écrase les tomates et qu'il les mette ainsi que les carottes coupées en rondelles, la feuille de laurier, le sucre en poudre, la pincée de muscade, le piment de cayenne, dans la sauteuse. Qu'il sale et laisse cuire entre 8 et 10 minutes.
• Dans une poêle huilée, que Martine fasse cuire les tranches de bœuf à feu vif et qu'elle les mette dans la sauteuse, qu'elle baisse le feu et laisse cuire 1 heure et demie. (Qu'elle n'oublie pas le couvercle).
• Qu'Ali dénoyaute les olives et qu'il les rajoute en fin de cuisson.

Agneau byzantin

6 à 8 personnes
2 kg de collier de mouton, 3 oignons, 1 gousse d'ail,
1/2 tablette de bouillon de bœuf, 1 noix de beurre, 1 cuillère
à soupe de coriandre, 1 pincée de safran, 1 pincée de curry,
piment, sel, poivre, 1 pincée de cannelle, 4 bananes, 4
tomates, 1 paquet d'arachides salées.

• Que Samuel fasse fondre 1/2 tablette de bouillon de bœuf dans 1/4 de litre d'eau, 1 pincée de curry, et 1 pincée de cannelle. Qu'il épluche les oignons et les émince. Pendant qu'il y est, qu'il hache finement l'ail.

• Dans une sauteuse, chaude et beurrée, faites dorer les oignons puis l'ail, ajoutez-y pêle-mêle les épices. Laissez cuire 5 minutes en remuant avec une spatule de bois. Mettez vos morceaux d'agneau, faites-les cuire sur toutes les faces environ 10 minutes à feu doux. Ajoutez le bouillon. Salez, poivrez. Couvrez et laissez mijoter 1 heure et demie.

• Pendant que l'agneau mijote, que Martine coupe 4 bananes en rondelles, qu'elle concasse 4 tomates, et écrase le contenu d'un paquet d'arachides salées. Qu'elle mette ces ingrédients dans des petits bols individuels.

• Au bout de 1 heure et demie, revenez à votre mouton. Si vous jugez qu'il est cuit, augmentez le feu pour faire épaissir la sauce et mettez-le dans un plat de présentation.

• Nappez votre mouton et servez accompagné des ingrédients sus-nommés et de riz nature qu'Ali se sera fait une joie de faire cuire pendant que Paul mettait la table.

Compote altruiste★★★

8 personnes
200 g de pruneaux secs d'Agen, 100 g d'abricot secs, 2 poires, 2 pommes, 100 g de bananes sèches, 100 g de dattes, 100 g de raisins de Corinthe, 100 g de figues.

• Qu'Ali prépare 2 tasses de thé et qu'il dénoyaute les dattes.

• Qu'il verse le thé dans une casserole avec les dattes, qu'il y ajoute 50 g de sucre en poudre et qu'il surveille attentivement la cuisson pendant 5 minutes (à feu doux). Qu'il laisse refroidir et qu'il dispose ses dattes dans le grand saladier principal.

• Que Samuel presse 2 oranges et qu'il mette le jus dans la casserole qu'Ali aura nettoyée, ainsi que les 100 g de figues.
• Il récupérera la peau de l'orange pour en faire des zestes et il fera frémir ces ingrédients 5 minutes. Qu'il laisse refroidir et qu'il verse sa préparation dans le saladier principal.

• Que Francine confectionne un sirop avec 2 verres de vin blanc doux, une pincée de cannelle et 50 g de sucre en poudre.
• Qu'elle fasse cuire son sirop à feu doux 10 minutes et qu'elle le verse sur les bananes séchées. Qu'elle laisse macérer une demi-heure. Elle mettra sa préparation dans le saladier principal au bout de ce temps.

• Que Paul épluche et épépine les pommes, qu'il les coupe en quartiers, qu'il les dispose dans une casserole avec 100 g de sucre, les raisins de Corinthe et 2 feuilles de menthe fraîche.

• Qu'il arrose le tout de 2 verres de cidre brut et qu'il fasse pocher 5 minutes à gros bouillons. Qu'il laisse refroidir et mette sa préparation dans le saladier principal.
• Que Martine pèle les 2 poires, qu'elle les coupe en 2, qu'elle les dispose à plat dans une casserole ainsi que les abricots secs avec un peu de beurre, 2 cuillères à café de sucre, 1 jus de citron. Qu'elle fasse fondre le tout jusqu'à caramélisation.
• Qu'elle mouille le caramel avec 1 verre de vin blanc sec et qu'elle laisse réduire pour obtenir un caramel souple. Qu'elle dispose sa préparation refroidie dans le saladier principal.
• Quant à vous, disposez dans une casserole haute les pruneaux préalablement dénoyautés, 20 g de zeste d'orange, 100 g de sucre glace. Versez dessus 1/2 bouteille de Madiran, laissez frémir 20 minutes à feu doux de façon à ce que les pruneaux gonflent bien et que le vin devienne sirupeux.

• Laissez refroidir et mettez votre préparation dans le saladier principal.

ET VIVE LA FRATERNITÉ!!

Pavés 68

800 g de sucre cristal, 350 g de noix de coco râpée, quelques gouttes de colorant.

• Que Paul mette du papier aluminium dans un moule à gâteaux.

• Dans une casserole, faites fondre la moitié du sucre dans la valeur d'un verre d'eau. Portez à ébullition à feu vif. Laissez à ébullition et retirez ce mélange du feu juste avant la caramélisation. Ajoutez rapidement la moitié de la noix de coco et le colorant et versez dans le moule.

• Recommencez l'opération avec l'autre moitié des ingrédients sans ajouter de colorant. Nappez la première couche et laissez refroidir.

• Vous découperez en pavés cette pâte à la noix de coco au moment de servir. Au-dessous, il y a effectivement la plage.

VOUS ÊTES DES ANGOISSÉS
CONGÉNITAUX ET CONTAGIEUX

Chaque soir, vous appuyez sur le bouton de votre télé à vingt heures précises, vous attendant à apprendre que la terre est sur le point de sauter.

Selon vous, l'holocauste nucléaire est irrémédiable, vous avez même réussi à contaminer des voisins avec qui vous allez passer des week-ends dans un abri anti-atomique.

Si on parle un jour de grande peur de l'an 2000, ce sera sans doute à cause de gens comme vous qui tremblez à la moindre secousse du monde, qui fouillez jusque dans les rubriques de chiens écrasés pour trouver une prédiction obscure de Nostradamus en train de se réaliser.

Non seulement vous connaissez par cœur les grands livres de la cabale et de l'apocalypse, mais vous avez un cousin dont le beau-frère est liftier au Pentagone et a reçu les confidences du Président américain : des hordes rouges se prépareraient à envahir l'Europe de l'Ouest!

Le péril est une mode dont les couleurs changent au gré des siècles et des fantasmes des médias. Il était jaune au XIXe siècle, il est rouge au XXe, je parie qu'il sera vert à pois bleus au XXIe.

Vous, prototype de *l'homo-psychopathe,* vous espérez bien survivre pour régénérer l'espèce humaine (la pauvre!).

En attendant le déluge et les temps de barbaries soviétiques, voici quelques plats chaleureux venus du froid.

Salade russe

6 personnes.
1 grosse boîte de macédoine, 1 cœur de laitue, 3 tomates,
3 œufs durs, mayonnaise.

• Lavez et égouttez la macédoine de légumes, les tomates et
la laitue.

• Faites cuire 3 œufs durs.

• Incorporez la mayonnaise à la macédoine et mettez celle-ci
sur le plat de présentation. Décorez selon votre inspiration
avec les tomates coupées en rondelles, le cœur de laitue et les
œufs durs.

• Rien ne vous interdit d'ajouter du saumon et du caviar
pour que cette salade soit vraiment russe.

Blinis

6 à 8 personnes.

• Dans un grand récipient, versez un paquet de farine
(500 g). Ajoutez 6 jaunes d'œuf, 1 pincée de levure délayée
dans de l'eau tiède. Mélangez le tout et laissez reposer au
moins 3 heures dans un endroit chaud. Recouvrez d'un
torchon propre.

• Quand la pâte est levée, ajoutez encore 500 g de farine, un
peu de crème fraîche liquide ou de lait si elle est trop ferme,
et les 6 blancs d'œufs montés en neige. Remuez énergiquement.

• Faites cuire les blinis dans une poêle huilée comme les
crêpes. Pour 1 blini, 1/4 de fond de louche suffit.

• Nappez de crème tiède au moment de servir. Si vous avez
du caviar ou du saumon pour les accompagner, personne ne
s'en plaindra!

Rôti de porc à la russe

6 à 8 personnes.
1 rôti de 1200 g, 1 chou blanc, 150 g de beurre, 2 poireaux,
1/2 chou-fleur, 1 petit pot de crème fraîche, 1 plaquette de
bouillon de bœuf, 1 cuillère à soupe de concentré de
tomates, quelques câpres, sel, poivre.

- Lavez et épluchez les légumes.
- Hachez les carottes, le 1/2 chou-fleur et les poireaux. Mélangez-les.
- Coupez le rôti en plusieurs tranches de 3 ou 4 cm d'épaisseur. Salez. Poivrez. Faites sauter ces tranches dans une poêle chaude beurrée 3 minutes des deux côtés.
- Dans un plat allant au four beurré, disposez quelques feuilles de chou blanc. Mettez les tranches de porc dessus.
- Recouvrez avec les légumes hachés et la crème. Ajoutez la tablette de bouillon et le concentré de tomates. Salez. Poivrez, rajoutez quelques câpres, recouvrez le plat de papier aluminium et faites cuire à four moyen (thermostat 7) 1 heure et demie.

Salade de fruits rouges

6 à 8 personnes.
150 g de cerises dénoyautées, 150 g de fraises lavées et
épluchées, 150 g de framboises, 180 g de sucre, 1/2 verre de
vodka.
- Mélangez tous ces fruits avec délicatesse dans un récipient contenant le sucre et la vodka.
- Laissez macérer une demi-heure.

PETITS EN-CAS DE SURVIE

C'est pas tout de vous payer des frissons en allant voir et revoir « L'aventure du Poseïdon » ou autre film catastrophe. Imaginons le pire :

Les Zoulous ont envahi l'Occident ou bien votre avion a fait un crash au-dessus d'une montagne, ou encore vous échouez sur une île déserte. Bref, vous êtes un survivant! Ouaaah! Quel bol!

C'est une bonne chose de faite mais maintenant, il va falloir le rester.

Je crains fort qu'il ne vous faille passer outre certaines habitudes alimentaires, voire une certaine morale culinaire.

Avant de dire « beurk » en lisant le nom des mets qui vont suivre, rappelez-vous que l'Homme a erré pendant des millénaires à travers la planète en se contentant de fèves, faute de galette. Je vous trouve bien difficile pour un survivant! Remémorez-vous les dimanches de l'Occupation ou les temps faméliques de la Commune de Paris où l'on en était arrivé à manger non seulement le chat et la souris, mais tous les animaux du zoo de Vincennes.

Vous êtes là, avec vos compagnons de naufrage, et vous avez eu la bonne idée d'emporter ce livre. Il va vous sauver la vie car, empoté que vous êtes, vous ne vous doutez pas de tout ce qu'on peut faire avec ce qu'il y a sous votre nez. Pas la peine de tirer à la courte-paille pour savoir qui va servir de cobaye, le travail est mâché.

Il ne vous reste plus qu'à vous baisser pour faire un délicieux repas.

Avec la chance que vous avez, vous êtes tombé dans un pré où il y a une vache.

Apprenez à la traire en serrant fermement, mais pas comme une brute, chaque téton. Faites jaillir le lait avec un mouvement alternatif des deux bras.

Quand vous aurez assez de lait, mettez-le au soleil avec une ou deux gouttes d'acide (vinaigre ou citron) et vous obtiendrez des yaourts en tournant le lait caillé avec une baguette de noisetier.

Julienne de racines

Il y a sûrement dans les parages, des betteraves, des céleris et des carottes sauvages.

Épluchez-les si vous avez eu la bonne idée d'emporter votre opinel. Lavez-les et découpez-les en petits cubes.

Nappez cette julienne avec le yaourt que vous venez d'apprendre à confectionner. Si vous trouvez du thym ou de l'estragon pour mélanger à la julienne, vous aurez droit à un triple banc.

Fricassée de trompettes de la mort

Surtout n'allez pas cueillir d'autres champignons que ces trompettes en forme de fleur noire ou alors avalez du lait pour enrayer l'empoisonnement possible.

Grattez les pieds et lavez-les, faites les revenir à la poêle avec de l'échalote, de l'ail et du persil hachés. Si vous pouvez napper avec de la crème fraîche salée ou poivrée, ce sera Byzance!

Salade Saint-Valentin

Beaucoup de fleurs se mangent crues : les violettes, les capucines, les fleurs de pissenlit, etc., cuites à la poêle : la fleur de citrouille, de courgette, etc. ou à la vapeur : la rose, la fleur de yucca.

1 bouquet de violettes, 1 botte de cresson sauvage, quelques fleurs de capucines et de pissenlits, des pétales de rose.

• Lavez soigneusement toutes ces fleurs. Surtout le cresson et les capucines.
• Faites un lit dans un récipient avec la moitié de la botte de cresson, ajoutez les violettes. Parsemez de quelques fleurs de pissenlit.
• Faites cuire à la vapeur 2 minutes les pétales de rose. Décorez le dessus de la salade avec.
• Nappez si possible avec une vinaigrette au jus de citron.

SURVIE AQUATIQUE

Laitue de mer

La laitue de mer est une algue verte commune qu'il faut laver et relaver. Plongez-la dans de l'eau bouillante une bonne demi-heure, puis dans de l'eau glacée. Sinon gare aux microbes. Si vous trouvez une dorade ou une langouste pour l'accompagner c'est parfait.

Cigale de mer

Celle-ci ne se trouve plus que vers les Antilles mais si c'est là que vous avez échoué, sachez qu'elle se prépare comme le homard (voir table des recettes).

Salade de lichen

Le lichen de mer est de couleur brune ou rouge et se rencontre à marée basse aux bords des mers nordiques.
Comme pour les algues précédentes, il faut le laver très soigneusement. Hachez-le, mélangez-le si possible avec des fines herbes, estragon ou ciboulette et nappez avec une vinaigrette à l'huile d'olive. Surtout pas de sel.

Steak de crocodile

De ces vilaines bébêtes que les Américains apprivoisent et tiennent en laisse dans les rues de New York, on ne consomme que les pattes et les nageoires. Je vous laisse enlever la peau.

Laissez macérer la chair 4 heures dans un récipient contenant de l'huile, du sel, du poivre et du jus de citron.
Faites griller 8 minutes de chaque côté.
Si vous avez une sauce piquante sous la main, ce sera quand même meilleur.

VOUS VENEZ DE GAGNER AU LOTO
ET VOUS AVEZ
LA FOLIE DES GRANDEURS

Qui chantera jamais l'infortune des gagnants du loto!
Ils doivent continuer à végéter dans l'anonymat de peur
que des tapeurs de tous acabits leur tombent dessus. Leur
existence besogneuse devient tout à coup vide de sens. Leur
assurance-vie, leur crédit, leur Codévi, leur plan-logement,
bref tous leurs châteaux en épargne s'écroulent en un
instant. Vingt ans, parfois trente de survie patiente dans
l'océan du quotidien, avec au bout du cap de bonne
espérance, l'île lointaine de la retraite; et tout à coup les
horloges se détraquent, les sabliers se cassent. Plus rien à
rêver, plus rien à espérer. L'affreux paradis des temps
mythiques où l'on a qu'à tendre la main pour cueillir un fruit
est là : jardin de délices désespérant où Ève et Adam seraient
morts d'ennui toute une éternité si par malheur Dieu ne les
avait pas punis.

Entre les mille et une façons d'échapper à l'enfer de la
richesse : de la philanthropie forcenée à la simple roulette, il
y a des solutions mais pas très sûres.
Jeter l'argent par la fenêtre? Il suffit d'un mauvais coup
de vent.
Faire le tour du monde? Trop bon marché.
Faire un mauvais placement? Par ces temps d'indécision
économique, ce n'est pas évident.

Alors, pour vous qui avez décidé de claquer votre argent
plutôt que de vivre dans la médiocrité absolue, voici une idée
de festin que vous envieraient les rois du pétrole.
Je vous livre ici le menu de Jules Gouffe à l'occasion d'un
bal qui fût donné en 1823. Rajoutez-y les amuse-gueules
pour faire mieux.

231

MENU DE BAL POUR 7000 PERSONNES

7000 potages

Pâtes d'Italie au blond de veau.
Purée de pois aux croûtons.
Tapioca à la vertpré.
Riz au lait d'amandes.

100 grosses pièces chaudes

25 turbots sauce hollandaise.
25 rosbifs sauce madère.
25 saumons sauce genevoise.
25 dindes truffées sauce Périgueux.

200 entrées chaudes

50 côtelettes de mouton sautées.
50 suprêmes de volaille aux truffes.
50 grenadins de filets de bœuf sauce madère.
50 ballottines de volaille au riz.

100 rôtis

50 faisans rôtis.
50 poulardes.

200 entremets de légumes

50 asperges en branches sauce au beurre.
50 haricots verts.
50 petits pois à la française.
50 artichauts lyonnaise.

200 entremets de douceur chauds

50 poires au riz.
50 gâteaux de semoule au malaga.
50 puddings diplomates.
50 pommes parisiennes.

FROID

120 grosses pièces

20 galantines sur socle.
20 buissons de truffes sur socle.
20 jambons à la gelée.
20 buissons d'écrevisses sur socle.
20 noix de bœuf à la gelée sur socle.
20 longes de veau garnies à la gelée.

200 entrées froides

25 pains de foie gras à la gelée.

APPENDICES

25 chaud-froids de perdreaux bordures de gelée.
25 salades de homard sauce mayonnaise.
25 salades russes bordure d'œufs et laitues.
25 aspics garnis de filets de lapereau.
25 chaud-froids de poulet.
25 salades de filets de sole mayonnaise.
25 salades de volaille bordure d'œufs et laitues.

200 entremets de douceur

25 gelées d'oranges garnies d'oranges.
25 gelées de cerises garnies de cerises.
25 macédoines de fruits au champagne.
25 gelées d'eau d'or garnies de fraises
et d'abricots verts confits.
25 bavarois chocolat et vanille en rubans.
25 pains d'abricots d'amandes et fruits confits.
25 blanc-manger pistaches et amandes.
25 pains d'ananas décorés d'amandes et fruits confits.

12 gros pâtés truffés

4 de foie gras.
4 de gibier.
4 de volaille.

Pâtisserie

16 pièces montées.

60 pièces de fond

10 grosses brioches.
10 biscuits de Savoie.
10 nougats parisienne sur socle.
10 babas.
10 gâteaux napolitains.
10 croquembouches génoise sur socle.

120 entremets de pâtisserie

20 génoises pistaches.
20 manqués au petit sucre.
30 tartelettes pommes.
20 condés fourrés.
20 manons à la crème.
20 mirlitons.
100 assiettes de sandwiches.
100 assiettes de pain à la française.

Extra

60 salades de légumes servies dans des saladiers.

ANNEXES

Frites (soufflées) : Il semble que le mot frites ait été employé pour la première fois par Alphonse Daudet. Une rumeur historique veut qu'elles aient eu pour inspirateur involontaire le célèbre chirurgien Velpeau. Celui-ci n'aimant pas leur forme les fit renvoyer en cuisine un soir qu'il dînait au restaurant. Le cuisinier pour ne pas les perdre, les replongea dans l'huile bouillante et les resservit ainsi soufflées à un autre client. Je ne sais pas si cette anecdote est vraie, mais des frites Velpeau c'est très beau !

Mayonnaise : Certains attribuent son invention au maréchal de Richelieu qui l'aurait appelée : bayonnaise. D'autres au duc de Mayenne qui l'aurait subtilement baptisée Mayennaise. Le plus probable est qu'elle a été inventée par un obscur maître-queux qui, tournant distraitement une cuillère de bois dans un bol contenant un œuf anciennement appelé moyen et y laissant tomber involontairement quelques gouttes d'huile a confectionné la moyennaise.

Margarine : En 1869, Napoléon III organisa un concours pour trouver le produit miracle qui pourrait remplacer le beurre (trop cher) pour l'approvisionnement de la marine.
Hippolyte Mougiès remporta haut la main ce concours en inventant la margarine, ce qui ne l'empêcha pas de mourir en murmurant : « Décidément, rien ne remplace le beurre ».

Mac-Mahon (1808-1893) : président de la République française plus connu pour son stupide : « que d'eau, que d'eau ! » que pour l'empreinte profonde qu'il souhaitait secrètement laisser dans l'histoire.

Nelly-Melba (1861-1931) : Cantatrice australienne wagnérienne qui ne doit sa célébrité posthume qu'à une pêche mais il n'est pas certain qu'elle serait passée à la postérité si les microsillons avaient existé à son époque.

Pêche : La pêche dans l'ancienne Chine était un fruit dont la dégustation était censée protéger les individus des tentations du mal. La pêche détournait le péché en quelque sorte.

Saint-Amant (1619-1655) : Poète contemporain de Cyrano de Bergerac plus connu pour sa passion pour les fromages et en particulier le brie, que pour son œuvre principale : *Ode à la Solitude* qui eut quelque succès en son temps.

TABLES DES MATIÈRES

3 PERSONNES

4 PERSONNES

6 à 7 000 PERSONNES

Cet ouvrage a été réalisé sur
Système Cameron
par la SOCIÉTÉ NOUVELLE FIRMIN-DIDOT
Mesnil-sur-l'Estrée
pour le compte de la nouvelle société des éditions Encre
en mars 1984